# LIDERANDO
## COMO
# JESUS

PRINCÍPIOS DE SUCESSO DO MAIOR LÍDER DE TODOS OS TEMPOS

# LARRY TITUS

# LIDERANDO COMO JESUS

PRINCÍPIOS DE SUCESSO DO MAIOR LÍDER DE TODOS OS TEMPOS

Rio de Janeiro, 2022

Copyright © 2019 por Larry Titus.

Todos os direitos desta publicação são reservados por Vida Melhor Editora LTDA. As citações bíblicas são da Nova Versão Internacional (NVI), da Bíblica, Inc., a menos que seja especificada outra versão da Bíblia Sagrada.

Os pontos de vista desta obra são de total responsabilidade do autor, não referindo necessariamente a posição da Thomas Nelson Brasil, da HarperCollins Christian Publishing ou de sua equipe editorial.

| | |
|---:|:---|
| Publisher | *Samuel Coto* |
| Editores | *André Lodos e Bruna Gomes* |
| Tradução | *Markus A. Hediger* |
| Copidesque | *Eliana Moura* |
| Revisão | *Sônia Duarte e Gisele Múfalo* |
| Diagramação | *Maurelio Barbosa* |
| Capa | *Rafael Brum* |

DADOS INTERNACIONAIS DE CATALOGAÇÃO NA PUBLICAÇÃO (CIP)
ANGÉLICA ILACQUA CRB-8/7057

---

T541L
    Titus, Larry
       Liderando como Jesus : princípios de sucesso do maior líder de todos os tempos / Larry Titus ; tradução de Markus Hediger. -- Rio de Janeiro : Thomas Nelson Brasil, 2019.
       304 p.
    ISBN 978-85-7167-032-7

    1. Liderança 2. Liderança - Aspectos religiosos 3. Jesus Cristo I. Título II. Hediger, Markus

19-1513                         CDD 658.4092
                                     CDU 65.012.41

---

Thomas Nelson Brasil é uma marca licenciada à Vida Melhor Editora LTDA.
Todos os direitos reservados à Vida Melhor Editora LTDA.
Rua da Quitanda, 86, sala 218 – Centro
Rio de Janeiro – RJ – CEP 20091-005
Tel: (21) 3175-1030
www.thomasnelson.com.br

# Sumário

| | | |
|---|---|---|
| | *Agradecimentos* | 9 |
| | *Introdução* | 13 |
| Capítulo **1** | Lidere com humildade | 19 |
| Capítulo **2** | Lidere servindo | 45 |
| Capítulo **3** | Lidere com oração | 61 |
| Capítulo **4** | Lidere através da reprodução | 79 |
| Capítulo **5** | Lidere garimpando o ouro nos outros | 97 |
| Capítulo **6** | Lidere delegando autoridade | 113 |
| Capítulo **7** | Lidere com amor incondicional | 133 |
| Capítulo **8** | Lidere contando histórias | 157 |
| Capítulo **9** | Lidere esperando a hora certa | 173 |
| Capítulo **10** | Lidere com conhecimento da Palavra | 191 |
| Capítulo **11** | Lidere buscando primeiro o Reino | 209 |
| Capítulo **12** | Lidere com unção | 233 |
| Capítulo **13** | Lidere com vulnerabilidade | 245 |
| Capítulo **14** | Lidere com compaixão | 263 |
| Capítulo **15** | Lidere com fidelidade | 281 |
| | *Epílogo* | 299 |

Para a minha esposa, Devi Titus.
Para os meus filhos, Trina Titus Lozano e Aaron.
Para os meus netos: Brooke Sailer, Brandon Lozano, Brittany White, Bryson Lozano, Melody Titus e Michaela Titus
Para os meus bisnetos: Sophia Sailer, Isabella Sailer, Brielle Sailer, Liam Sailer, Levi Lozano, Landon Lozano, Eliana Lozano, Anderson White, Faith White, Haven White, Maisy White e vários outros bisnetos que ainda estão por nascer.
Nada é mais importante do que a minha família.

# Agradecimentos

## À minha esposa, Devi

Quantos homens têm a sorte de terem se casado com uma editora, uma dona de casa, uma companheira, uma modelo, uma mãe, uma avó, uma bisavó, uma palestrante, uma cozinheira, uma decoradora, uma encorajadora, uma revisora, uma inspiração e, como o Espírito Santo, uma consoladora e ajudante?

Durante 55 anos de casamento e ministério, Devi tem sido tudo isso e muito mais para mim. Seus *insights* estão entretecidos em todo este livro, explícita e implicitamente. Sua sabedoria permeia cada página deste manuscrito. Seu discernimento espiritual e suas convicções profundas há muito têm sido o prumo em minha vida e ministério. Sem ela, nada do que realizei teria sido possível. Sou mais do que abençoado.

## Aos três indispensáveis

Sou muito grato àqueles que me ajudaram na redação, edição, revisão e ofereceram seus comentários sobre este manuscrito:

Jennifer Strickland, Larry V. Lee e Jeff Hamilton: *Muchas gracias*, Muito obrigado, *Vielen Dank, Merci beaucoup, Bol'shoye spasibo* e *Todá rabá*. Traduzidas livremente, essas palavras significam: Vocês são maravilhosos, e eu amo vocês.

## A Jesus Cristo

O amor da minha vida é Jesus Cristo. Absolutamente nada que tenha significado, valor e substância eterna teria sido possível sem meu Salvador, tampouco este livro. Ele me curou inúmeras vezes física, emocional e espiritualmente. Ele lançou meus pecados no mar do esquecimento para nunca mais serem lembrados. Graças dou pela existência de Deus na minha vida:

Ele me ensinou a ser filho e a amar o Pai.

Ele compartilhou comigo sua unção e autoridade.

Sua cobertura contínua de sangue me perdoa e purifica diariamente. Sua Palavra, a Bíblia Sagrada, é meu sustento diário, e seu corpo terreno, a igreja, é uma fonte constante de bênção, relacionamentos e purificação. Mal posso esperar pelo dia em que me ajoelharei fisicamente perante ele e exclamarei: "Jesus, tu és Senhor!".

# Introdução

Eu me considero mediano em praticamente tudo, exceto nas coisas em que fico abaixo da média, que não são poucas. Sou mediano em inteligência. Sou medíocre em talento musical, eloquência, habilidades interpessoais e na escrita. Sou calado, recolhido, reservado, raramente falo muito, me envergonho facilmente e prefiro solidão a multidões. Tenho a capacidade de concentração de um garoto de dez anos de idade.

Sou abaixo da média em talentos administrativos, em qualquer tipo de habilidade mecânica ou técnica, em conhecimentos de TI, qualidades atléticas e qualquer coisa que exija coordenação motora. Eu também seria capaz de me eletrocutar tentando consertar ou instalar qualquer aparelho elétrico. Recentemente, quase disparei uma arma *taser* em mim mesmo, acreditando que se tratava de uma lanterna.

Ah! Ainda não mencionei que sou realmente lento na maioria das coisas, inclusive em processamento. Devo ser excepcional em alguma coisa, mas ainda não descobri o que seria.

Ainda sofro do trauma causado por minha professora de escrita criativa na faculdade. Cometi o erro de escrever em um de meus ensaios: "Acredito do fundo do meu coração". "Do fundo do meu coração...", ela escreveu com tinha vermelha, "quem é que fala assim?". Eu. Eu costumava falar assim. Minha aula de retórica foi igualmente dolorosa. Creio que sou simplesmente mediano. Qualquer que seja a parte do cérebro que processa informações e produz decisões sensatas, essa parte está praticamente vazia no meu cérebro. Graças a Deus eu me casei com uma processadora, a Devi.

Mais uma coisa: eu amo pessoas. Quero dizer, eu realmente amo pessoas. Fora isso, sou realmente bastante normal.

Este é um livro para pessoas normais. Para pessoas que aspiravam a grandeza, mas desistiram de si mesmas. Para aqueles que gostariam de ser líderes bem-sucedidos, mas acreditam não ter os dons, os talentos, a paixão, as capacidades, a personalidade ou as habilidades exigidas de um líder, tenho boas notícias: Jesus, o maior líder do mundo, era igual a você. Quando ele decidiu despojar-se de seus privilégios reais, também decidiu tornar-se igual a você em todos os sentidos. Hebreus 2:17 diz que Jesus se tornou *semelhante a seus irmãos em todos os aspectos.* Isso significa que Jesus era normal.

Como um homem mediano — Jesus — pode se tornar o maior líder do mundo? Não era porque ele era Deus. Filipenses 2:5-9 deixa claro que Cristo se esvaziou de tudo que exigia igualdade com o Pai e se tornou um servo. Quando encarnou, ele o fez sem reter qualquer privilégio celestial.

Como Jesus Cristo, um dos líderes mais humildes e mais improváveis que o mundo já conheceu, pôde se tornar o maior líder da história humana? Porque ele liderou de um modo diferente do da maioria dos líderes, antigos ou modernos. Seu livro de regras era diferente. Ele seguiu um outro conjunto de padrões e princípios. Suas verdades não eram do sistema deste mundo. Ele nasceu para morrer.

Tenho seguido o homem da Galileia por 72 anos. Nasci de novo aos quatro anos de idade e assumi minha primeira posição de liderança aos dezoito. Iniciei obras a partir do zero e vi como tomaram forma e se tornaram bem-sucedidas. Assumi ministérios fragmentados, danificados e divididos e lhes devolvi saúde e produtividade. Investi em líderes em dezenas de nações e testemunhei sua transformação e fertilidade. Acreditei em líderes que outros rejeitaram, reconheci sua unção e os libertei para seu chamado. Tenho amado líderes quando seus fracassos passados os convenceram de que seu ministério tinha acabado, apenas para vê-los reavivar e florescer.

Por outro lado, tenho, às vezes, liderado com uma mão pesada e sido insensível às necessidades das pessoas. Tenho colocado meus interesses acima dos outros e experimentei vergonha e fracasso desastrosos, prova de que eu deveria ter liderado de modo diferente: liderado como Jesus.

Introdução | **15**

Foi pensando nesse aspecto que resolvi, neste livro, analisar a vida de Jesus revelada nos evangelhos e identificar, nela, os princípios de liderança que fizeram dele o maior líder do mundo. Tenho certeza de que, se você seguir os mesmos princípios ensinados e revelados por Cristo, experimentará o mesmo sucesso que ele teve. Não foi Jesus quem prometeu que, se você cresse nele, faria as mesmas e, talvez, ainda maiores obras? (João 14:12-14)

Creio ser assim porque Jesus liderou de modo diferente. Em cada capítulo deste livro você encontrará uma sabedoria bíblica que desafia muitos livros modernos sobre liderança. Se estiver interessado em ver a si mesmo como um líder eficaz e produtivo, e ver todos a quem lidera transformados completa e diametralmente, desafiados e preparados para grandeza, então esta leitura é para você. Tudo o que existe nesta obra foi adicionado com um único objetivo: transformar o seu estilo de liderança.

Ao seguir o estilo de liderança de Jesus, você terá êxito. Não existe outra escolha. Não há outras opções. Se fizer o que Jesus fez, você terá o sucesso que Jesus teve. Mas, para isso, você precisa liderar de modo diferente.

**Se você é um líder ditatorial, coercivo e controlador,** ou terá de mudar seu estilo de liderança ou se contentar com um sucesso breve e seguidores imaturos. É como ter uma cabeça grande e um corpo pequeno: a cabeça continua a crescer, mas o corpo permanece igual, incapaz de alcançar a maturidade.

**Se você é um líder de comportamento manso,** que se contenta em permitir que os outros façam o que você deveria fazer, muitas vezes abrindo mão de sua responsabilidade, você se sentirá encorajado e pronto a descer do muro, assumir o controle, mudar seu mundo e liderar de um modo diferente.

**Se você tem experimentado apenas sucesso medíocre**, este livro mudará sua postura mental de "Provavelmente jamais serei um grande líder, Deus me destinou à insignificância" para "Eu também consigo fazer isso. Quem disse que preciso ser um líder pequeno com uma visão pequena? Por que eu deveria me contentar com a insignificância? Se Jesus liderou de um modo diferente, e eu também posso fazer isso!".

**Se você se sente inseguro em seu papel de liderança**, este livro o encorajará a enfrentar qualquer obstáculo e a derrubar qualquer gigante. Deus é mestre em tomar uma fraqueza e transformá-la em força. Sua insegurança será substituída por confiança à medida que você liderar como ele.

**Se você é um megapastor**, com uma megapersonalidade, que lidera uma megaigreja em um megacampus, é visto em megaestações de TV e atrai megamultidões, talvez você queira migrar da armadilha de exigências constantes feitas pelas pessoas e de um programa esmagador para o relaxamento de uma liderança simples.

Seja qual for seu estilo de liderança ou sua personalidade, os princípios de Jesus Cristo combinam com você e liberam seu chamado. Deus chamou você para a grandeza como líder. Não se contente com menos.

Siga em frente e, por favor, saiba que estou bem atrás de você. Estarei orando para que Deus o use de forma poderosa e que seu Reino venha para sua família, sua igreja, comunidade, cidade e nação. Lembre-se: você e Jesus formam uma maioria se você liderar como ele. Eu acredito em você!

No amor de Cristo,
*Larry Titus*

CAPÍTULO **1**

# Lidere
## com humildade

*O ego é o véu opaco que esconde*
*de nós a face de Deus.*

**Richard J. Foster**

Dos 7 bilhões de pessoas que vivem no mundo hoje, mais de 2 bilhões seguem um líder que viveu 2 mil anos atrás. Por quê? O que Jesus fez que nenhum outro líder na história do mundo fez, pelo menos não na mesma medida que ele? Se eu lhe perguntasse o que transformou Jesus Cristo de Nazaré no maior líder do mundo, o que você diria? Qual é a chave para o seu sucesso?

Qual seria a sua resposta? Você consegue adivinhar? Se você tivesse de fazer aquilo que representaria os princípios de liderança de Jesus, o que seria?

Eu sei a resposta e, em breve, você também saberá, mas, antes, quero que você leia estes versículos com muita atenção:

*Quando Jesus tinha 12 anos de idade*
"Não sabiam que eu devia estar na casa de meu Pai?" (Lucas 2:49)

*No início de seu ministério*
"A minha comida é fazer a vontade daquele que me enviou e concluir a sua obra." (João 4:34)

*Quando Jesus foi abordado pelos fariseus*
"Eu lhes digo verdadeiramente que o Filho não pode fazer
nada de si mesmo; só pode fazer o que vê o Pai fazer, porque
o que o Pai faz o Filho também faz." (João 5:19)

*Após Jesus alimentar os 5 mil*
"Pois desci do céu não para fazer a minha vontade, mas
para fazer a vontade daquele que me enviou." (João 6:38)

*Na noite antes de Jesus ser crucificado*
"Indo um pouco mais adiante, prostrou-se com o rosto em
terra e orou: 'Meu Pai, se for possível, afasta de mim este
cálice; contudo, não seja como eu quero, mas sim como tu
queres'." (Mateus 26:39)

Como você pode perceber, Jesus nunca buscou promover
a sua própria agenda, diferentemente dos grandes líderes de
hoje. Ele não buscou publicidade, mas a evitou. Não estava
interessado em popularidade. Estava acostumado a lidar com
pessoas que o odiavam. Quando curava alguém, instruía a pessoa a não contar a ninguém. Repreendeu aqueles que tentavam
convencê-lo a demonstrar seu poder milagroso. Conseguiu
ofender praticamente a todos, inclusive sua própria família e
seus discípulos. Quando alguém o chamava de "grande", ele
dizia: "Apenas meu Pai é grande". As seitas religiosas o odiavam,
e os pecadores o amavam. Rejeitou todo conforto, inclusive uma
cama, um travesseiro, um lar e dinheiro.

Jesus nunca tentou fazer sua própria vontade, seguir sua
própria visão ou estabelecer seu próprio Reino. Jamais houve
um líder na história humana cujo único propósito na vida era

fazer a vontade de outro. Sua única motivação era cumprir a vontade de seu Pai que estava no céu. Mesmo sabendo que sua decisão o levaria à morte na cruz, ele nunca vacilou nem abandonou seu objetivo principal.

## A geração do "eu primeiro"

Percebe como a atitude de Jesus contradiz a prática moderna? Que tipo de líder gastaria sua vida inteira tentando fazer a vontade de outra pessoa? Você vê como esse conceito é revolucionário? É essa a chave que a maioria de nós tem procurado? Fomos instruídos a promover a nós mesmos, impor nossa visão, estabelecer nossos objetivos e seguir nosso propósito na vida com paixão.

Todos que iniciam seu ministério com uma abordagem egocêntrica se colocam em oposição ao modelo de Jesus. Se a ambição egoísta — fazer em primeiro lugar a sua própria vontade — é sua prioridade máxima, você já violou o princípio de liderança mais importante da vida de Jesus.

Tenho certeza de que, se seu conceito de liderança é seguir sua própria visão, o fundamento da sua motivação pode ser impulsionado por seu eu; assim, o "não a minha vontade" se transforma em "primeiro a minha vontade!". O resultado final de tudo que se apoia em egocentrismo é a autodestruição. Mais cedo ou mais tarde, o "eu" se autodestruirá. Toda visão e todo ministério construído sobre o "que seja feita não a minha, mas a tua vontade" se constrói sobre a vontade do Pai e do Filho. Isso leva a uma fertilidade eterna que pode ser reproduzida. Deus tem um plano perfeito para a sua vida. Se você disser "sim" para a vontade dele, seu plano se desdobrará diante de você, e você experimentará satisfação verdadeira.

Mesmo que pareça simples, eu acredito de verdade que existem apenas dois estilos de liderança: o guiado pelo Espírito e o guiado pelo eu. Além do mais, eles não são só opostos um ao outro, mas violentamente opostos.

A liderança guiada pelo Espírito é altruísta e busca apenas a vontade do Pai e dos outros para os quais você trabalha, como seu chefe, seu esposo, sua congregação etc. A liderança guiada pelo eu é egocêntrica, promove a si mesma e busca apenas fazer a vontade de sua própria visão.

A liderança guiada pelo Espírito busca encontrar a fonte de sua visão na vontade do Pai. A liderança guiada pelo eu encontra a motivação interior na busca passional daquilo que é mais gratificante para a carne e para a alma.

A liderança guiada pelo Espírito encontra sua alegria suprema na promoção de Deus e de outros. A liderança guiada pelo eu encontra sua alegria suprema nos aplausos e elogios do homem.

A liderança guiada pelo Espírito é profundamente satisfatória. A liderança guiada pelo eu é oca, e a satisfação, temporária.

## Ambição egoísta

Não conheço nada mais destrutivo para a liderança do que a ambição egoísta. Tiago 3:16 diz: "Pois onde há inveja e ambição egoísta, aí há confusão e toda espécie de males".

O sucesso de sua liderança será determinado não só pela sua busca da vontade de Deus em primeiro lugar, mas também pela maneira como você promove o ministério e a visão dos outros, concentrando-se no plano de Deus para a vida deles.

Esse tipo de desenvolvimento de caráter começa na primeira infância, quando uma criança aprende a fazer a vontade dos pais. Isso continua na sua adolescência, quando ela consegue seu primeiro emprego. Quanto você deseja fazer a vontade de seu chefe e não a sua própria?

Para todos nós que vemos como nosso chamado o serviço integral ao Mestre, é vital que busquemos fazer a sua vontade a cada momento, sempre subjugando a nossa vontade à vontade do Pai. Nosso maior inimigo sempre será a tentação da promoção própria. Não é fácil nem natural buscarmos fazer a vontade do outro, mas é justamente nisso que está a chave para o sucesso futuro.

## O poder de uma liderança altruísta

"Se alguém decidir fazer a vontade de Deus, descobrirá se o meu ensino vem de Deus ou se falo por mim mesmo. Aquele que fala por si mesmo busca a sua própria glória, mas aquele que busca a glória de quem o enviou, este é verdadeiro; não há nada de falso a seu respeito" (João 7:17,18).

Você entendeu isso? Jesus disse que uma pessoa não pode nem saber se seu ensinamento é crível se não buscar fazer a vontade de Deus. Infelizmente, muitos líderes passam sua vida inteira buscando realizar "sua" vontade própria, apenas para serem confrontados com decepção e desilusão.

Embora Jesus tivesse apenas trinta anos de idade quando começou a ensinar, e embora tenha ensinado apenas por poucos anos, sua vida e ensinamento impactaram o mundo. Além disso, milhões de pessoas que não se consideram seguidoras de Jesus foram impactadas de uma forma ou de outra por aqueles que o são. Hospitais, igrejas, escolas, universidades, causas humanitárias, literatura, música, arquitetura, ciência e até mesmo a própria civilização ocidental continuam a manifestar a influência do homem da Galileia. É difícil imaginar qualquer nação no mundo que não tenha sido alcançada de alguma forma pela influência de Jesus e de seu ensinamento. Até mesmo a nossa contagem de anos se baseia em seu nascimento.

O que faz de Jesus o maior líder do mundo? Como um único homem pôde mudar o curso da história?

Jesus não escreveu livros, não liderou um exército, não tinha uma estratégia financeira, não derrubou nenhum governo, não liderou uma rebelião, nunca fundou uma religião e não construiu prédios ou monumentos para si mesmo. Em seus três anos e meio de ministério, ele pregou às multidões apenas em ocasiões raras; falou às multidões principalmente em seus últimos 18 meses e passou a maior parte de seu tempo treinando 12 homens não qualificados — 11 deles do norte não educado de Israel.

Ele não tinha posses além das roupas que vestia e nenhum travesseiro para descansar a cabeça. Ele foi rejeitado por sua família, sua cidade natal tentou matá-lo, os líderes religiosos acreditavam que ele era possuído por demônios, ele foi traído por seu tesoureiro e abandonado por seus 11 discípulos remanescentes em suas últimas horas. O único título que tinha foi escrito como zombaria e pregado numa tábua no topo da cruz em que ele foi crucificado. Foi trocado por um assassino, e seus únicos companheiros em cruzes vizinhas eram ladrões, um dos quais riu dele em sua hora final. Seus carrascos lançaram a sorte sobre seu manto, zombando o curador com o maior insulto possível: "Médico, cura-te a ti mesmo".

Enquanto ele estava na cruz, seu Pai lhe deu as costas quando ele tomou sobre si os pecados do mundo. O que restava?

Jesus foi enterrado num túmulo emprestado.

## O pecado da promoção própria

O ego é aquela parte integral da nossa natureza que ama ser exaltada e louvada. O ego adora ouvir seu nome falado em voz alta num contexto público ou vê-lo impresso — especialmente em letra grande. Ele nunca se cansa de louvor e reconhecimento!

Uma qualidade incrível do maior líder do mundo é que ele nunca promoveu a si mesmo. Na verdade, ele fez tudo em seu poder para promover todos, exceto a si mesmo: primeiramente o Pai. Enquanto seus discípulos tentavam exaltá-lo no palco da opinião pública, Jesus se preparou para ser levantado numa cruz (João 12:32).

Jesus deixou claro em João 5:31 que, se ele promovesse a si mesmo, isso invalidaria seu ministério. Sua vida documentada estabelece esse precedente: "Se testifico acerca de mim mesmo, o meu testemunho não é válido". Semelhantemente, isso poderia ser verdade também sobre nós. Enquanto estamos ocupados promovendo a nós mesmos, estamos simultaneamente invalidando o nosso ministério e rebaixando Deus. O céu se recusa a nos elogiar quando nós fazemos isso por conta própria.

Lidere com humildade | 27

> Quando morremos para o ego e elevamos a vontade de Deus, nós nos equipamos para liderar outros com autenticidade.

Na maioria das vezes, a coisa mais altruísta que podemos fazer é cumprir a vontade de outra pessoa. Quando essa "outra pessoa" é Deus, o Pai, tomamos o primeiro passo para nos tornar grandes líderes. Com esse passo, nos tornamos pessoas que lideram outros para a plenitude de Deus; lideramos aqueles em nossa volta que foram transportados da escuridão para a luz. Um líder alinhado com a vontade de Deus vai à frente e quebra o gelo para seus seguidores, livrando-os da fria imobilidade. Nosso objetivo deve ser fazer de Jesus e da sua vontade a nossa suma prioridade.

Imagine a seguinte conversa:

— O que você quer fazer quando crescer?

— Ah, eu gostaria de fazer a vontade de Deus, e não a minha. Gostaria de satisfazer seus desejos, e não os meus. Isso é tudo que quero fazer. Em toda a minha vida eu sempre quis apenas cumprir a vontade de Deus.

Quem diria isso? E quem, além de dizer isso, *faria* isso? Em toda a história, sabemos de uma única pessoa que disse isso, e que realmente o fez, foi Jesus, o maior líder do mundo.

Se pudéssemos voltar no tempo e entrevistar Jesus para o jornal *Diário de Jerusalém*, a entrevista provavelmente transcorreria assim:

> *Entrevistador:* Jesus, quais são seus maiores objetivos na vida?
>
> *Jesus:* Meu plano é fazer a vontade do meu Pai.
>
> *Entrevistador:* Qual é o seu plano para daqui a cinco anos?
>
> *Jesus:* É igual ao meu plano para o primeiro, o segundo, o terceiro e o quarto ano. Meu plano é fazer a vontade do meu Pai.
>
> *Entrevistador:* Mas você não tem nenhum plano seu?
>
> *Jesus:* Esse é um plano meu. Na eternidade, decidi que abriria mão de todas as minhas prerrogativas e faria apenas a vontade do meu Pai. Penso em fazer a vontade do meu Pai agora, amanhã e pelo resto da minha vida.

Em meus 56 anos de ministério, tenho perguntado a dezenas de jovens pregadores o que eles gostariam de realizar no futuro. Muitos me responderam que queriam ser apóstolos, profetas, pastores, mestres, evangelistas ou missionários. Poucos me responderam que queriam apenas servir ao ministério de outro. Jamais ouvi um empregado dizer que seu maior desejo na vida é que seu empregador tenha sucesso.

Por quê? Existe algo intrínseco à natureza do nosso ego que deseja a promoção própria. Quem diria que seu propósito na vida é fazer a vontade de outro, não é? Mas foi exatamente isso que Jesus fez. É possível que nisso se esconda o segredo de toda liderança?

Estamos dispostos a buscar o bem-estar e o sucesso daquele a quem servimos antes de buscar o nosso bem?

Não surpreende que muitos ministérios sejam abandonados antes mesmo de começarem. Eles se iniciam com a suposição de que, se construírem seus ministérios primeiro, então todo o resto se encaixará. Estou aqui para sugerir que, se você não estiver disposto a buscar primeiro o sucesso do outro, nunca encontrará sucesso verdadeiro para si mesmo.

Se você não consegue seguir a visão de outro, Deus jamais lhe dará a sua própria visão. Nada separa os princípios de liderança de Jesus dos princípios de outros líderes mais do que essa afirmação. Jesus nunca veio para fazer a sua própria vontade, seguir sua própria visão ou determinar seu próprio destino. A partir dos 12 anos de idade, a única vontade de Jesus foi fazer a vontade de seu Pai.

Se você começar sua carreira no ministério com uma ambição egoísta, continuará a colher o fruto da ambição egoísta. Se você seguir o exemplo de Jesus e buscar primeiro o bem-estar de outro, a vida do ego terá de ceder à vida altruísta, produzindo frutos que permanecem.

## Não a minha vontade, mas a tua

Um líder precisa, primeiro, fazer-se pequeno e engrandecer a outros antes de poder se tornar grande. A fim de viver verdadeiramente, ele deve estar disposto a sacrificar sua própria vida por aqueles que lidera.

Jesus representa o verdadeiro padrão de liderança no mundo. Como líder, ele arriscou sua vida pela vontade do Pai enquanto amava seus homens ao mesmo tempo. Como criança, estava nitidamente ciente de que seu único objetivo na vida era cumprir a vontade do Pai. Ele até achou estranho que seus pais não reconheciam isso. Lucas 2:49 diz: "Não sabiam que eu devia estar na casa de meu Pai?". A partir dos 12 anos de idade até suas últimas palavras no jardim ("Não seja feita a minha vontade, mas a tua"), Jesus nunca se desviou desse único propósito. Nunca foi "eu primeiro", mas sempre "primeiro o meu Pai". Segundo o padrão que Jesus nos deixou, a fim de alcançar verdadeira grandeza na liderança, você precisa primeiro estar disposto a honrar e a promover a liderança de outro.

Quando os discípulos voltaram após pegar um Big Mac na versão samaritana do McDonald's, Jesus respondeu: "Tenho algo para comer que vocês não conhecem". Observe agora a resposta de Jesus à pergunta dos discípulos: "A minha comida", disse Jesus, "é fazer a vontade daquele que me enviou e concluir a sua obra" (João 4:32,34). Mais importante do que o sustento diário de pão era fazer a vontade do Pai.

Isso é importante! Uma mudança profunda em sua igreja, sua vida profissional e em sua família está próxima e depende da natureza de sua liderança. Líderes santos ignoram ambições egoístas. Líderes santos lideram de modo diferente.

Eu tenho ouvido pessoas dizerem, orarem e cantarem: "Deus, entrego-te a minha vontade". Por mais espiritual que isso soe, na verdade é impossível. Você não pode entregar a sua vontade. Se Deus tirasse de você a sua vontade, você seria um robô. Você nasceu com uma "vontade", e essa "vontade" nunca deixará de querer até seu último suspiro. Sua vontade é o que o define. É sua capacidade de tomar decisões. É sua determinação. É sua personalidade. É quem você é. Deus não quer sua vontade; ele quer sua disposição de alinhar a sua vontade com a vontade dele.

Sua vontade é o que determina quem você decide promover, o plano de Deus para a sua vida ou seu próprio plano. Eu lhe digo sem qualquer equívoco que, se escolher a vontade de Deus no lugar de sua própria vontade, você estabelecerá sua liderança e descobrirá seu destino final.

Deus deseja alinhar sua vontade com a vontade dele. Não importa quão grandes sejam os seus planos, eles não são os planos dele. Você não consegue determinar nem seu próximo respiro, nem os eventos de amanhã. Ao dizer "Jesus, não quero fazer a minha vontade, quero fazer apenas a tua", você começa a se alinhar com Deus.

Vamos simplificar ainda mais as coisas: se você fizer a vontade de Deus, encontrará satisfação. Nós dois sabemos que buscar a si mesmo e a promoção própria não o satisfará. Ao perder a si mesmo, você se encontrará. Ponto final. É o método de Deus.

Quão conhecida a Madre Teresa seria hoje se tivesse decidido fazer algo diferente de alimentar as crianças famintas na Índia? O pai da nação norte-americana, George Washington, teria sido bem-sucedido se tivesse optado pela lareira confortável de Mt. Vernon e não tivesse ido para o gelo do Valley Forge? Orar pelos soldados descalços e famintos no acampamento não é a minha ideia de um Natal idílico. George Washington foi o primeiro presidente eleito da nossa democracia. Mas você sabe o que realmente o tornou um homem especial? Ele deu preferência às necessidades de seus homens e renunciou ao seu próprio conforto! Por meio de seu exemplo altruísta, ele conseguiu unir um exército destituído, e seus homens o seguiram até Yorktown, realizando uma das maiores vitórias na história norte-americana, encerrando a Guerra da Revolução.

Ainda mais importante é analisar: 2 bilhões de pessoas estariam hoje seguindo a Jesus de Nazaré se ele tivesse colocado sua própria vontade acima da vontade do Pai? Eu posso dar uma resposta definitiva e inequívoca: absolutamente não! Eu repetirei por motivos de ênfase. O líder que segue o "eu" se desqualifica para a liderança; no fim, as pessoas o verão como fraco e insípido ou como déspota e ditador.

Jesus não quis igualdade com seu Pai. Na verdade, o apóstolo Paulo diz que Jesus não via igualdade com o Pai como algo a ser "apegado". A palavra grega para "apegar" (*harpagmos*) é reveladora — *harpagmos* possui uma conotação violenta: a de obter algo por meio de furto. Jesus não tentou roubar igualdade do Pai: "Embora sendo Deus, não considerou que o ser igual a Deus era algo a que devia apegar-se; mas esvaziou-se a si mesmo, vindo a ser servo, tornando-se semelhante aos homens" (Filipenses 2:6,7).

Nós nos aproximamos do grau de pureza e altruísmo de Jesus de alguma maneira? Não. O ego deseja reconhecimento público. O ego deseja ser visto. O ego deseja estar no controle. Essa é a natureza do ego. Líderes incentivados pelo ego seguem os exemplos ou modelos de ego que veem. Posições de honra, elogios dos colegas, reconhecimento público, fama e riqueza são objetivos comuns de líderes egoístas.

## A enganação do ego

Se você deseja ser um grande líder, estude e aplique Filipenses 2:5-9. Jesus se esvaziou de algo. De quê? Ao contrário do que acreditam alguns autores, Jesus não se esvaziou de deidade. Deus jamais pode se tornar "não Deus". Jesus era plenamente Deus e plenamente homem. "Pois em Cristo habita corporalmente toda a plenitude da divindade" (Colossenses 1:19, 2:9; Hebreus 1:3).

Jesus se esvaziou de tudo que promovia o ego acima do Pai! Ele nunca exigiu igualdade com o Pai, mas se humilhou a si mesmo, ao ponto de sua vontade estar completamente subordinada à vontade do Pai.

Nada é mais contrário à vontade de Deus do que a motivação pelo "ego". Ela se opõe a Deus a cada passo. Pessoas egoístas, egocêntricas filtram suas decisões com a peneira do benefício e do engrandecimento próprios. Qual é o resultado? Liderança egoísta resulta em decepção e confusão. Esses líderes se julgam pela visão que os outros têm deles. Portanto, esses líderes estão sempre desorientados e entregues à aprovação política.

A maioria dos estudiosos acredita que a pessoa à qual Isaías se refere em Isaías 14:12-14 seja o próprio Satanás: "Como você caiu dos céus, ó estrela da manhã, filho da alvorada! Como foi atirado à terra, você, que derrubava as nações! Você que dizia no seu coração: 'Subirei aos céus; erguerei o meu trono acima das estrelas de Deus; eu me assentarei no monte da assembleia, no ponto mais elevado do monte santo. Subirei mais alto que as mais altas nuvens; serei como o Altíssimo'".

Observe a enganação própria manifesta na exaltação própria. É claro, Satanás jamais teria se contentado em ser *como* ou até mesmo *igual* a Deus. Ele jamais teria se contentado antes de se sentar acima de Deus, e de Deus ser subserviente a ele. Ele queria *ser* Deus.

O egoísmo jamais se contenta em ser *igual*. Ele sempre exige domínio total. Como Satanás, podemos até dizer que queremos *igualdade*, mas assim que o ego levanta a sua cabeça a *supremacia* se torna seu objetivo verdadeiro.

> Se você semeia egoísmo, colhe miséria, vive uma perda e um fracasso muito dolorosos.

Quando Jesus veio para esta terra como Deus, veio em amor. Amor era o paradigma de Jesus; por meio do amor ele se despiu de qualquer forma de egoísmo e apenas fez a vontade do seu Pai.

É minha convicção que, enquanto o ego estiver no trono da sua vida, você sempre estará fadado ao fracasso. Egocentrismo sempre falha, não importa a direção que você siga. É tão simples quanto uma função matemática.

## Egoísmo começa no nascimento

Uma criança sai do ventre com uma natureza egoísta. Tenho certeza de que a primeira palavra dita pela boca da maioria dos bebês, imediatamente após os adoráveis "mamãe" e "papai", é o exigente "*meu*!". Depois, duas mãos miúdas agarram o brinquedo de outro bebê adorável que também grita:

Lidere com humildade | **35**

"*Meu!*". Fofos, não são? A quem estamos tentando enganar? O ego afirma seu desejo de reinar desde o berço.

Eu não pude acreditar nas marcas de dente que minha linda, doce, inocente e querida filha Trina tinha deixado no punho de um garotinho na creche da igreja, quando ele tentou pegar o brinquedo "dela". "*Meu!*", ela gritou mostrando os dentes. "É meu, seu pequeno diabo. Vou te morder até você soltar!" Devi (minha esposa) e eu ficamos horrorizados diante dos danos causados por nosso anjo adorável. Como pôde? Mas ela agiu apenas na base de sua natureza humana. Impulsos egoístas assumiram o controle e seu desejo pelo brinquedo a levou a crer no "meu". O pecado está entrincheirado na nossa personalidade desde o início. Precisamos ser remidos de nossos egos originais.

Infelizmente, quando seguimos nossa vida da escola primária até o altar do matrimônio, nossa bússola continua a apontar na direção do "*meu*". Tenho visto membros de uma família brigar ao lado do caixão de seu pai ou de sua mãe falecidos. Nem mesmo o choque do momento pode impedir que o ego erguesse sua cabeça feia. Antes mesmo de o caixão desaparecer no túmulo os parentes estavam gritando: "*Meu!*".

Vidas vividas segundo o mantra "Eu fiz do meu jeito" estão repletas de corações partidos, divórcios, relacionamentos danificados, caos, alcoolismo, vício, solidão e suicídio. O egoísmo nunca leva à felicidade. Leva à depravação. Seus juros são ruína espiritual, emocional e física.

Você entende isso? Você precisa ver e absorver isso! Navegar pela vida na base do ego leva você na direção oposta a Deus. Não é onde você deseja estar.

Tiago 3:16 diz: "Pois onde há inveja e ambição egoísta, aí há confusão e toda espécie de males". Portanto, uma vida baseada no ego e ambições egoístas dá abertura para influências demoníacas. Somos cúmplices de Satanás quando exaltamos a nós mesmos. Não posso ressaltar isso o bastante: fuja de ambições egoístas como está fugindo dos fogos do inferno! Não é onde você desejaria estar.

Voltemos e tentemos visualizar mais uma vez como Jesus viveu sua vida. O maior líder do mundo nunca pensou ou lutou para fazer sua própria vontade. É difícil de compreender, não é? Jesus teve de vencer toda a criação caída — incluindo homem, besta e assistentes demoníacos — para vencer a guerra da "vontade".

Mantenha a vida de Jesus sempre em mente, pois ela define como devemos levar a nossa vida.

## Liderança altruísta produz líderes que servem

Jesus repreendeu os fariseus duramente em Lucas 11:43, porque "amam os lugares de honra nas sinagogas e as saudações em público!". O antídoto para a promoção própria se encontra três capítulos mais adiante, Lucas 14, em que Jesus ensina:

> Quando alguém o convidar para um banquete de casamento, não ocupe o lugar de honra, pois pode ser que tenha sido convidado alguém de maior honra do que você. Se for assim, aquele que convidou os dois virá e lhe dirá: "Dê o lugar a este". Então, humilhado, você precisará ocupar o lugar menos importante. Mas, quando você for convidado, ocupe o lugar menos importante, de forma que, quando vier aquele que o convidou, diga-lhe: "Amigo, passe para um lugar mais importante". Então você será honrado na presença de todos os convidados. Pois todo o que se exalta será humilhado, e o que se humilha será exaltado.

Lidere com humildade | **37**

Líderes altruístas não são produzidos por líderes que promovem a si mesmos. Contemple novamente o que a vida nos mostrou. Liderança falsa, baseada em temas diferentes da vontade de Deus contamina o desenvolvimento de outros líderes. Existe uma incongruência e uma carnalidade verdadeiramente assustadoras em líderes desenvolvidos por uma liderança equivocada. Você já observou sua reação diante de líderes desse tipo? Existe um desconforto dentro de nós quando ouvimos esses líderes.

Oro para que Deus nos ajude a ser igual a Jesus, o líder mais altruísta do mundo. Não surpreende que seus discípulos estavam dispostos a segui-lo até a morte, e eles o fizeram. Todos os discípulos, com exceção de João, o amado, morreriam como mártires de Jesus. Que confirmação maior poderíamos dar para a autenticidade da vida e da liderança de Jesus?

Quando Jesus curava uma pessoa, ele a instruía a não contar a ninguém. Quando seus irmãos o tentaram para que demonstrasse seus poderes em Jerusalém, ele os repreendeu e se recusou a encenar um espetáculo baseado em manifestações de poder. Quando alguém o chamou de bom, ele objetou, declarando que apenas o Pai era bom. Você vê e aprende o que Jesus nos mostrou? Ele não agiu com base no ego, mas com a motivação de fazer a vontade do Pai.

Por favor, leia as seguintes passagens bíblicas e as sublinhe:

> "A minha comida é fazer a vontade daquele
> que me enviou e concluir a sua obra."
> (João 4:34)

**38** | Liderando como Jesus

> "Eu lhes digo verdadeiramente que o Filho não pode fazer nada de si mesmo; só pode fazer o que vê o Pai fazer." (João 5:19)
>
> "Por mim mesmo, nada posso fazer; eu julgo apenas conforme ouço, e o meu julgamento é justo, pois não procuro agradar a mim mesmo, mas àquele que me enviou." (João 5:30)
>
> "Pois desci do céu não para fazer a minha vontade, mas para fazer a vontade daquele que me enviou." (João 6:38)
>
> "Quando vocês levantarem o Filho do homem, saberão que Eu Sou, e que nada faço de mim mesmo, mas falo exatamente o que o Pai me ensinou." (João 8:28)

A passagem definitiva que mostra a determinação de Jesus em fazer apenas a vontade do Pai se encontra em Lucas 22:42, quando orou no jardim: "Pai, se queres, afasta de mim este cálice; contudo, não seja feita a minha vontade, mas a tua".

Jesus aproveitou cada oportunidade para dizer aos seus discípulos que ele não tinha outro objetivo na vida senão fazer a vontade do Pai. Suas palavras não eram suas, pois elas vinham do seu Pai. Suas obras não eram suas, pois vinham do Pai. Seus juízos não eram seus, pois vinham do Pai. Nem mesmo seus discípulos eram seus, mas dádivas do Pai. Ah! Devemos seguir seu exemplo, pois não existe outro exemplo verdadeiro e válido! Faça de Jesus o seu herói e exemplo!

## A manifestação do ego

Seguem alguns comportamentos notórios que são frutos da vida e da liderança baseadas no ego:

- Gabar-se, em todas as suas formas, é uma manifestação do ego.
- Ganância — fazer coisas por lucro financeiro — é resultado da vida baseada no ego.
- Possessividade (*"Meu!"*) é um sinal certo de uma vida egoísta.
- Rapacidade, tomar alguém a força, está ligado a estupro e satisfaz 100% ao ego.
- A arrogância grita: "Olhem para mim!", enquanto o líder altruísta diz: "Olhem para ele!".
- Obsessão com a própria aparência gera foco no ego, que diminui nossa capacidade de ver os outros claramente.

Todos os itens no supermercado têm uma "vida de prateleira", uma data de validade impressa neles, que pode ser de poucos dias ou de semanas a meses. Já a vida do ego não possui data de validade. Egoísmo e egocentrismo são tentações vitalícias e precisam ser continuamente submetidos à cruz. Assim como cuidamos da saúde do nosso corpo, precisamos cuidar do nosso coração colocando os outros sempre acima de nós mesmos.

Egoísmo é a força mais destrutiva do universo, pior ainda que a ganância. Vale repetir: "Pois onde há inveja e ambição egoísta, aí há confusão e toda espécie de males" (Tiago 3:16).

Não surpreende que Jesus se esvaziou completamente de tudo que exigia o "eu primeiro" e colocou a vontade do Pai em primeiro lugar em todas as circunstâncias.

## O segredo de um grande líder

Buscar o bem-estar do outro antes do seu próprio é o segredo de um grande líder. Jesus se despiu de suas prerrogativas divinas, se humilhou e se mostrou obediente ao Pai. Ao buscar a vontade de outro, Jesus modelou a trilha para se tornar um grande líder.

Anos atrás, um jovem me procurou pedindo que fosse contratado como pastor dos jovens na nossa congregação local. Minha resposta foi, provavelmente, algo que ele não esperava: "Se você colocar minha visão acima da sua própria, eu o contratarei". Eu sabia que ele falharia se começasse buscando seus próprios objetivos. Quando ele concordou com minhas exigências, eu o contratei. Então, *meu* objetivo de liderança se tornou vê-lo liberado em *sua* visão — e ele floresceu.

Eu me mudei daquela cidade, e ele veio a ser um pastor de jovens incrível em outra congregação. Preciso dizer que seu ministério explodiu em crescimento? Um homem que busca fazer a vontade de outro antes da sua própria verá o fruto do seu trabalho se expressar numa colheita abundante.

Tenho certeza absoluta de que Deus não promove uma pessoa que gaste seu tempo promovendo a si mesma.

Promover outros abrirá a porta para a sua própria promoção. A promoção própria tira Deus do jogo. Se você promover a si mesmo, qualquer coisa que realize não terá vindo de uma fonte fresca de água borbulhante: terá o gosto amargo de

Lidere com humildade | 41

água parada. Você não pode promover a si mesmo e aos outros ao mesmo tempo. Temos aqui uma inconsistência fundamental, e uma das duas promoções precisa ceder.

Um dos exemplos mais pungentes do altruísmo de Cristo foi sua oração no jardim do Getsêmani. Enquanto sua carne gritava "Eu não quero fazer isso", seu espírito venceu a carne submetendo a Deus humildemente as palavras "Não seja feita a minha vontade, mas a tua" (Lucas 22:42).

Se você quiser saber com que força, exigência e determinação a carne lutará pela sua vontade própria, leia a narrativa das grandes gotas de suor e sangue que escorriam pelo corpo de Jesus enquanto ele resistia à carne orando no Getsêmani. Tudo dentro do homem carnal é impulsionado por motivos egoístas. E não existe maneira melhor de negar a carne do que buscar a vontade de outro, a começar pela obediência total a Deus. "Não seja feita a minha vontade, mas a tua" precisa ser o grito incessante do nosso coração e o fundamento de todas as nossas decisões.

O apóstolo Paulo começou sua introdução à vida altruísta de Cristo com a exortação: "Nada façam por ambição egoísta ou por vaidade, mas humildemente considerem os outros superiores a si mesmos" (Filipenses 2:3).

Se seguíssemos essa única passagem, isso eliminaria a maioria dos divórcios, das cismas de igrejas, das enganações políticas e dos relacionamentos danificados. Ah! Também eliminaria a maioria das guerras.

Os maridos devem dar preferência às esposas acima de si mesmos. Esposas devem honrar os desejos do marido em vez de insistirem que tudo seja de seu próprio jeito. Empregados devem ver o bem-estar de seus empregadores como mais importantes do que a busca de seu próprio avanço. Empregadores devem considerar seus trabalhadores como mais importantes do que a si mesmos.

Se não lidarmos com o egoísmo, não haverá pureza ou eficácia na liderança. Grandes líderes são pessoas generosas, não egoístas. Tenho certeza de que, se você decidir levar a sério esse princípio e liderar como Jesus liderou, verá mudanças dramáticas em sua liderança. Isso reduzirá muito a propaganda promocional, os lugares reservados e os estacionamentos privados, as publicações no Facebook, as biografias exageradas e infladas, os cartazes e todos os outros sinais de promoção própria. Talvez os pastores não precisem mais se gabar de quantas pessoas vieram para o culto na Páscoa. É incrível quantas pessoas o seguiriam se você decidisse colocar a visão e os objetivos de outros acima dos seus.

Tenho uma confissão a fazer. Meu primeiro ministério foi uma liderança de cima para baixo, imposta com mão pesada, apesar do desejo subjacente de ver as pessoas liberadas em seus dons. Tudo que eu conheci ao crescer foram líderes que lideravam por meio de coerção, intimidação, politicagem, manipulação e exigência de subserviência total das pessoas abaixo deles.

Apesar de nunca ter tido uma mão tão pesada, preciso admitir que eu usava a autoridade para o meu benefício. Jamais pensei na possiblidade de que poderia haver uma maneira melhor: eu poderia liderar de baixo para cima, permitindo que as pessoas se liberassem completamente em seu chamado, servindo a elas como Jesus serviu aos seus discípulos.

Não conseguia me lembrar de outro líder ao qual eu tivesse sido exposto que liderasse como Jesus, decidindo fazer a vontade do Pai, e não tentando realizar sua própria visão predeterminada. Eu não tinha exemplos para seguir. Eu jamais tinha visto um homem entregar sua vida por suas ovelhas. Eu só tinha conhecido homens que exploravam as ovelhas para seu lucro pessoal.

Apesar das ocasiões em que minha compaixão superava minha sede de autoridade, tenho certeza de que não era a regra. O ego estava firmemente assentado no trono da minha vida. Como descreverei em detalhes neste livro, veio um tempo em que desci do trono do domínio próprio e me submeti inteiramente a fazer apenas a vontade do Pai. Jamais me esquecerei do dia em que morri para a promoção própria. Eu estava dirigindo um caminhão alugado com as únicas coisas que ainda possuíamos no mundo. Eu estava chorando tanto que quase não enxergava a estrada, mas comecei a fazer esta oração: "Senhor, não preciso mais de uma casa grande, um carro grande, uma igreja grande, uma reputação grande, um salário grande, nem mesmo de autoridade. Tu és a única coisa que preciso. Se eu tiver a ti, eu tenho tudo. Se eu não tiver a ti, não tenho nada".

Posso dizer que, naquele dia, Larry Titus morreu, e Jesus começou a viver em mim. Eu tinha perdido tudo para que pudesse ganhar a única coisa que realmente importava: Jesus. Finalmente eu estava me tornando o líder que eu estive procurando. Quando morri para o ego, descobri a alegria de liderar de baixo para cima, e não de cima para baixo.

O maior líder do mundo liderou de baixo para cima, não vice-versa. Eu jamais tinha visto isso sendo praticado pelos líderes que eu seguia, mas decidi seguir o único líder que realmente importava: Jesus de Nazaré.

Se você decidir transformar-se em nada para que outros possam ser algo, você terá tomado o primeiro e mais importante passo para liderar como Jesus liderou.

CAPÍTULO **2**

# Lidere
## servindo

*Não sei qual será o nosso destino, mas sei de
uma coisa: os únicos entre vocês que serão
realmente felizes serão aqueles que
buscaram e descobriram como servir.*

**Albert Schweitzer**

No passado, o Pai e o Filho tomaram duas decisões que abalaram o universo. A primeira, que Deus viria para a terra na forma humana de seu Filho. Como homem, Jesus viveria, pregaria e morreria numa cruz pelos pecados da humanidade. Sua segunda decisão foi de igual importância: quando Deus viesse na carne, ele se esvaziaria de todos os privilégios da deidade e assumiria a natureza de um servo. Ele não vestiria roupas reais ou se adornaria com ouro e joias reais. Não. Ele se cingiria com a toalha de um servo e se ajoelharia na poeira e na sujeira, lavando pés sujos como exemplo para todos nós. Francamente, eu jamais compreenderei esse tipo de amor. Quem compreenderia? Só podemos curvar nossa cabeça em reconhecimento dessa maravilha.

Estamos cientes das consequências enormes da cruz, mas deveríamos dedicar mais reflexão e atenção ao caráter de Jesus. Veja: Jesus não apareceu entre nós como uma realeza que inspirasse maravilha. Ele não decidiu vir como uma superestrela ou um governador icônico. Jesus decidiu revelar-se como um servo. Repito, só podemos cair de joelhos em gratidão e humildade. Por que ele se rebaixou para viver entre nós? Ele não nasceu como rei que era esperado há muito tempo e morreu como um criminoso injustamente acusado.

Filipenses 2:7 nos diz que, quando Jesus se esvaziou de sua igualdade com o Pai, ele vestiu as vestes de um servo comum. Como humanos, muitos de nós decidem ignorar aqueles que nos servem. Muitas vezes, tendemos a ignorá-los, não nos interessamos por seus nomes, por lembrar seus rostos ou por vir a conhecer sua vida nos bastidores. Às vezes, os servos são quase invisíveis. Mas servem à humanidade. Ele foi das alturas mais altas para as profundezas mais profundas Jesus escolheu ser um servo. A toalha se transformou em seu símbolo de identificação com outros que. E não nos esqueçamos disto: foi escolha dele.

Jesus nasceu num estábulo, num lugar para animais. O anúncio de seu nascimento foi feito por anjos a pastores humildes. Quando Jesus iniciou seu ministério, ele não tinha casa nem quarto alugado para descansar sua cabeça. Ao ir para a cruz, ele tinha uma única peça de roupa, e até mesmo esta foi tirada dele. Ele amava seu próprio povo, e este o desdenhou. Homens escondiam sua face dele. Seus irmãos e irmãs o rejeitaram. Discípulos secretos o sepultaram num túmulo emprestado.

Nosso Senhor viveu a vida de um servo comum. Jesus não gozou de nenhum alívio da pobreza. Diferentemente de um ator, ele não podia sair de seu personagem, se retirar ou pôr os pés para o alto e relaxar em conforto luxuoso. Ele possuía nada além das roupas que vestia. Lembre-se disso quando avaliar pessoas.

A história nos ensina que pessoas valiosas podem não ostentar símbolos contemporâneos de dinheiro e status, mas elas têm um propósito que pesa muito mais do que bens materiais. Como líderes, somos tolos se tomarmos decisões sobre pessoas com base em sua aparência. Um líder verdadeiro vê além das aparências e vê as profundezas da alma da pessoa.

Como pastor, tenho sentado e orado com os moribundos. Tenho feito isso inúmeras vezes, no alto da noite, quando as luzes dos corredores do hospital já estão apagadas, e em qualquer outra hora do dia. Nunca ouvi pessoas que estavam enfrentando a morte falarem do status ou dos bens que adquiriram. Pelo contrário, elas falam de seus arrependimentos e momentos felizes, de suas famílias e amigos. Por favor, não dê valor a status e posses ao viver sua vida. Veja o que Jesus valorizava e faça dessas coisas os seus objetivos e tesouros.

## Qual é o seu título?

Você já observou como as pessoas agem quando lhes é concedido um pouco de poder ou reconhecimento? Quando as pessoas recebem um novo título ou um escritório maior, muitas vezes seu ego infla. Elas se distanciam e se tornam inacessíveis, indisponíveis para pessoas que deviam se esforçar para conhecer melhor. Anos atrás, houve um estilo de liderança conhecido como "Gestão a pé". O mundo corporativo estava tão cheio de líderes arrogantes e isolados que alguém teve de cunhar uma expressão para encorajar os executivos a caminhar por entre as mesas e os locais de trabalho de seus empregados. Quem caminhava e viajava mais entre as pessoas do que Jesus?

Você pode ter percebido que Jesus não coroou sua vida com um título. Sim, o único título que lhe foi dado oficialmente foi "Rei dos judeus", escrito numa tábua pregada à sua cruz. Mas na maioria das vezes Jesus se referia a si mesmo como Filho do Homem, indicando sua identificação total com a humanidade.

Ao analisarmos a vida de Jesus em detalhes, entenderemos o quanto ele desdenhava os títulos que os homens dão a si mesmos. Eles não lhe significavam nada.

Na mentalidade grega, um escravo (*doulos*, uma palavra repetida 126 vezes no Novo Testamento) era alguém em profunda degradação e humildade. Já que o maior valor dos gregos era a liberdade, o valor mais baixo era a servidão. Apenas os mais baixos na sociedade eram escravos. Na verdade, soldados se tornavam escravos com frequência quando eram capturados pelo inimigo. A sociedade romana e grega não escravizava seus próprios membros; reservavam a escravidão para aqueles que eram conquistados em batalha.

Para os gregos, o fato mais terrível da escravidão era a perda da vontade própria. Um escravo sempre era obrigado a fazer a vontade de outro. Ele perdia sua capacidade de fazer escolhas próprias e ficava sufocado como pessoa. Escravidão era pior do que pobreza abjeta, pois até mesmo os pobres podiam tomar suas próprias decisões.

A decisão de vir para a terra não como realeza, mas como servo fez de Jesus um caso sem paralelos e totalmente diferente de qualquer líder que já viveu. Relembre os líderes dos dois últimos milênios. Existem alguns poucos líderes que assumiram a pobreza física, como Mahatma Gandhi, mas esses homens não tinham descido do lugar que Jesus ocupava antes de vir para viver entre nós.

## Jesus era...

Lembremos os fatos essenciais sobre Jesus:

- Ele era o criador do universo e de tudo que nele existe.

- Ele era totalmente divino e totalmente humano em uma só natureza.

- Ele estava unido num relacionamento com o Pai desde toda a eternidade.

- Ele desceu das riquezas inimagináveis para a pobreza abjeta.

- Ele é a única pessoa que nasceu de uma virgem sem um Pai terreno. Ele nasceu do Espírito Santo.

- Ele nasceu para morrer. Sua morte havia sido decretada por ele mesmo desde a eternidade. Ele não foi assassinado; ele escolheu a cruz.

- Ele morreu pelos pecados do mundo, não pela independência de uma nação.

## Jesus escolheu a toalha do servo

Jesus sabia quem ele era, portanto, não precisava prová-lo. Temos aqui uma verdade que pode deixar você intrigado pelo resto da sua vida. Quando o criador do universo decidiu trocar suas vestes de realeza e glória resplandecente, ele estendeu a mão até o fundo do armário da humanidade e retirou a toalha de um servo. Ele não poderia ter escolhido um meio-termo? Ele, quem sabe, não poderia ter feito compras em um dos nossos shoppings exclusivos, talvez adquirindo algo mais apropriado para aqueles que aproveitam uma promoção? Por que ele escolheu a roupa de um servo?

Suspeito que o acessório escolhido para a Última Ceia pretendia ser um último "visual" para todos aqueles que lutam por prestígio e reconhecimento. Era o "tudo ou nada" dos exemplos de liderança.

Lidere servindo | 51

> O maior líder do
> mundo liderou
> não de cima,
> mas de baixo.

É por isso que quase todas as epístolas começam com as palavras "Um servo de Jesus Cristo". Se os discípulos quisessem se parecer com Jesus, eles precisariam imitar seu serviço. E, mais importante ainda, precisavam se comportar como servos. Eu louvo a Deus enquanto escrevo isso, pois estou me lembrando de um homem membro numa das minhas primeiras igrejas. Ele dirigia uma van. Era um dos maiores evangelistas que vi em toda a minha vida. A cada entrega que fazia, a porta da van se abria e esse homem com um sorriso do tamanho do sol saltava do veículo — inevitavelmente logo alguém aceitaria Jesus como seu salvador. Acredito que, se Jesus vivesse hoje, ele dirigiria uma van (cheia de toalhas, é claro).

Tenho uma ideia: mudemos as placas nos estacionamentos para que digam: "Reservado para servos". Imaginem só. Em vez de dizer "reservado para o presidente", para o "CEO", para o "CFO", para o "apóstolo" ou para o "pastor", a placa diria: "Reservado para servos". Mas então você teria de mudar a placa para o fundo do estacionamento, que é onde os servos realmente estacionam.

Outras opções poderiam incluir papel de carta intitulado "Larry Titus, servo". Até currículos poderiam ostentar o título

**52** | Liderando como Jesus

"servo". Mas quem os leria? Talvez seja este o ponto. Jesus não deu sua vida na cruz apenas para deixar uma impressão.

Até os demônios sabiam como se dirigir a Paulo e Silas: "Estes homens são servos do Deus Altíssimo" (Atos 16:17). Eles não sabiam que esses homens eram apóstolos?

Amo a oração da igreja primitiva em Atos 4. Quando os discípulos pediam ousadia para sua pregação acompanhada de sinais, maravilhas e milagres, eles oravam em nome do santo servo de Deus, Jesus.

Vários palestrantes motivacionais têm usado esta citação anônima: "Se servir está abaixo de você, liderança está acima de você". Como isso é verdade.

Recentemente, alguém me perguntou qual era o meu título. Minha resposta não foi uma tentativa de ser humilde ou autodepreciativo, mas uma devolutiva sincera daquilo que considero ser o maior dos títulos. Eu disse: "Sou apenas um servo". A pessoa me olhou com uma expressão intrigada, como se estivesse dizendo: "Você está tentando ser humilde?". Não. Eu acredito honestamente que merecemos nada mais além das roupas que Jesus vestiu.

## A quem você serve?

Eu sirvo à minha esposa. Eu sirvo aos meus filhos. Eu sirvo aos meus amigos. Eu sirvo a pastores. Eu sirvo a comerciantes. Eu sirvo à igreja. Adoro servir. Para mim, é o ouro mais puro em relacionamentos e o melhor dos paradigmas de liderança. Não existe estilo de liderança maior do que servir.

Eu duvido que existiria qualquer conflito na igreja se o objetivo de todos os seus membros fosse servir a Jesus e uns aos outros. Segundo Tiago 3:16, conflitos são resultado de ambição egoísta e inveja. Servos não precisam ser vistos, percebidos, ouvidos, aplaudidos ou reconhecidos. Afinal, a servidão é sua identidade. Ambição egoísta e inveja não competem no coração do servo. No entanto, são os servos verdadeiros que movimentam e abalam o nosso mundo.

Anos atrás, eu estava em pé junto à janela de um hotel no monte das Oliveiras com uma vista dos vales e montes da Judeia, que se estendiam de Belém ao sul. Um pastor e seu rebanho estavam no campo sob a minha janela. Eu estava curioso para ver se o pastor reuniria suas ovelhas, as entregaria aos cuidados de alguém ou à segurança de um curral e partiria para o seu acampamento nômade a fim de passar a noite. Para a minha surpresa, quando o sol se pôs, ele se sentou no meio do rebanho e puxou seu manto sobre sua cabeça. Seria sua cama naquela noite. Evidentemente, ele não tinha um pastor assistente ou um vice-presidente de pastores para cuidar das ovelhas em sua ausência.

Como isso é profundo! No fim do dia, tudo que sou é um servo, um pastor disposto a servir às ovelhas. Um homem me disse que queria fazer parte da nossa congregação porque ele podia sentir o cheiro de ovelhas em mim. Senti-me profundamente honrado.

Jesus deixou claro que os gentios estão sempre buscando títulos e autoridade para governarem sobre outros, mas, no Reino de Deus, o maior será o menor, o último será o primeiro, e o servo será o maior de todos. Jesus disse:

> Não será assim entre vocês. Pelo contrário, quem quiser tornar-se importante entre vocês deverá ser servo, e quem quiser ser o primeiro deverá ser escravo; como o Filho do

Homem, que não veio para ser servido, mas para servir e dar a sua vida em resgate por muitos. (Mateus 20:26-28)

Se o Filho do Homem veio para este mundo para servir às pessoas, este deveria ser também o nosso objetivo.

Como podemos refletir isso em nossa vida diária? Eu sei a resposta! Digamos que alguém lhe traz sua correspondência. Magicamente, ela aparece todos os dias na sua escrivaninha. De manhã, seu escritório está limpo; a lixeira, vazia. Essas coisas parecem acontecer por conta própria. Líderes verdadeiros prestam atenção nesses atos de serviço e, o que é ainda mais importante, líderes verdadeiros retribuem servindo. Às vezes, tudo que precisaríamos fazer seria reconhecer com gratidão os indivíduos à nossa volta. Tente! Isso funciona! Quando você reconhece aqueles que lhe servem, bondade flui de você para eles. Quando as pessoas suspeitam que você realmente se importa com elas, elas ficam extremamente motivadas. Como gosto de dizer: "Faça-os suspeitar que você os ama!"

## Jesus deu sua vida em resgate

O segundo propósito da vinda de Jesus foi dar sua vida em resgate. Observe como os dois objetivos se fundem. Ao adquirir um escravo, você precisa pagar um preço. Essa é a única vez na história em que um servo adquiriu escravos. Jesus foi o servo supremo que nos adquiriu com seu sangue. Fomos "comprados de volta" por Deus, remidos da escravidão a Satanás, para que pudéssemos servir ao nosso Senhor em justiça. Todos nós éramos escravos adquiridos por um servo, o Senhor Jesus Cristo.

Se você quiser ser um grande líder, comece a procurar a toalha de servo. Esteja pronto para sangrar de alguma forma, pois você só pode imitar Jesus se der seu próprio corpo, assim como Jesus fez. "Seja a atitude de vocês a mesma de Cristo Jesus, que, embora sendo Deus, não considerou que o ser igual a Deus era algo a que devia apegar-se" (Filipenses 2:5,6).

Peço perdão, mas preciso repetir isso. É importante demais para ser ignorado. Quando Jesus veio para viver conosco, do nosso lado, ele escolheu o papel de um servo. Ele não foi a alfaiates ou comerciantes de tecidos para comprar suas roupas. Ele era humilde em aparência e atitude. Apesar de sermos reis de linhagem real por meio da redenção, em nossa posição somos apenas servos de Jesus e uns dos outros.

A mãe de Tiago e João trouxe o tema à tona quando pediu que seus filhos recebessem lugares privilegiados no Reino. Jesus respondeu ao seu pedido: "Não será assim entre vocês. Pelo contrário, quem quiser tornar-se importante entre vocês deverá ser servo, e quem quiser ser o primeiro deverá ser escravo" (Mateus 20:26,27).

Em minhas viagens, tenho conhecido muitos líderes lamuriosos, exigentes, queixosos! Isso é especialmente vergonhoso em restaurantes nos quais nunca conseguem fazer seus pedidos sem acrescentar todos os tipos de exigências extras. Então, quando a comida chega, nada lhes agrada. Tudo está errado, a comida está fria ou quente demais, os talheres não estão limpos, e tudo é devolvido pelo menos uma vez. Sua atitude negativa refletida numa gorjeta mesquinha revela mais arrogância do que humildade. Eu sempre torço para que os garçons não os vejam orar antes de comer, um símbolo certeiro de que eles alegam ser cristãos. Muitas vezes, em situações assim, costumo dar uma gorjeta especialmente generosa ao garçom, na esperança de amenizar sua experiência desagradável com "líderes" cristãos.

## Jesus lava nossos pés

Na última noite de Jesus na terra, ele se despiu de seu manto, se cingiu com uma toalha de servo comum e começou a lavar pés. Nada poderia ser mais humilde! Nada poderia ter fornecido uma ilustração mais sublime daquilo que significa servir. Servir uma refeição à mesa ou oferecer água para alguém é compreensível, mas testemunhar o Mestre lavar os pés de alguém, não tem precedentes. Mas foi o que Jesus fez. Até mesmo o ateu ou agnóstico mais convencido, se tiver alguma honestidade intelectual, precisa ficar surpreso e atônito ao ler o ato documentado da lavagem dos pés dos seguidores por Jesus. A jornada diária de Jesus é convincente até mesmo para aqueles que não o seguem.

Depois dessa demonstração, Jesus disse: "Pois bem, se eu, sendo Senhor e Mestre de vocês, lavei-lhes os pés, vocês também devem lavar os pés uns dos outros. Eu lhes dei o exemplo para que vocês façam como lhes fiz. Digo-lhes verdadeiramente que nenhum escravo é maior do que o seu senhor, como também nenhum mensageiro é maior do que aquele que o enviou. Agora que vocês sabem estas coisas, felizes serão se as praticarem" (João 13:14-17).

Se você sabe essas coisas e as pratica, o que acontece? É simples demais. Se você assumir o papel de um servo e lavar os pés dos outros, você terá imitado algo que Jesus fez, bem aqui na terra. Se você o fizer com o coração que ele teve, você *será* abençoado!

Temos um grupo que trabalha conosco chamado "Pés que andam". É um ministério de distribuição de sapatos liderado por um jovem incrível, Dustin Sandoval. Eles não só distribuem sapatos aos pobres em nações em desenvolvimento, mas também lavam seus pés, oram por eles e compartilham o evangelho com eles. Estão imitando Jesus. É incrível como o simples serviço às pessoas pode abrir corações para o evangelho.

Jamais conheci alguém que se ofendeu por ser servido. Por outro lado, vejo constantemente os resultados negativos quando pessoas tentam exercer sua autoridade com arrogância sobre os outros. Vemos exemplos sombrios disso no exército: oficiais recém-promovidos querem dar ordens. Vemos isso em corporações, grupos da igreja, organizações voluntárias e até mesmo entre irmãos.

Temos um excesso de líderes tentando transformar todos os outros em seus servos. E quer saber? Por toda parte, as pessoas estão implorando por liderança! Mas não estamos cercados de líderes? Não! Líderes autênticos são tão raros quanto ouro precioso. Se as pessoas recebessem líderes que lideram como Jesus liderou, não haveria vítimas dos arrogantes e oficiosos. Haveria seguidores com vidas transformadas — esses seguidores se tornarão líderes que lideram de maneira diferente.

O Antigo Testamento concede o título de servo a Abraão, Isaque, Jacó, Josué, Moisés, Davi e muitos outros, incluindo reis pagãos. A profecia de Joel 2, repetida em Atos 2, deixa muito claro que Deus derramaria seu Espírito sobre servos e servas. Não sei quanto a você, mas eu sempre tento ser um *servo*. Este é um título que eu quero.

Quando Deus recomendou alguém para ser testado pelas provações ferozes de Satanás, ele fez a seguinte sugestão: "Reparou em meu servo Jó?" (Jó 1:8). Uau! Jó se qualificou para o teste porque era um servo. Após a provação que alterou sua vida, Deus restaurou seu servo. A vida e a família de Jó foram restauradas e sua riqueza foi dobrada (Jó 42:10-17).

Que linda imagem das recompensas eternas para os servos de Deus.

Porque eu amo você, jamais me cansarei de tentar gravar isso em seu coração. Aqui estão algumas orações breves para decorar:

- Vista-se como servo para que Deus não o dispa.
- Servos do Reino se qualificam como reis.
- O maior elogio de Deus é chamar alguém de servo.
- Não iguale símbolos terrenos de poder e riqueza com liderança autenticamente santa. Jesus preferiu pobreza e desabrigo a riquezas e esplendor.
- Lave pés servindo a pessoas com o coração de Jesus.

Líderes, está na hora de descer do pedestal e amarrar uma toalha em torno do quadril.

O elogio final de Jesus é aquele que desejo receber no Dia do Juízo: "Muito bem, servo bom e fiel" (Mateus 25:21).

Lidere servindo | 59

CAPÍTULO 3

# Lidere
## com oração

*Deus não faz nada exceto
em resposta à oração fiel.*

**John Wesley**

Eu gostaria de sentar e conversar com você, meu leitor, sobre temas preciosos de liderança baseados na vida de Jesus. Mas não posso me reunir com cada um. Então, enquanto você lê, quero que entenda o que é importante para mim como pastor, professor e autor.

Tudo que eu digo deve ser verificado e comparado com as Escrituras. Minhas congregações, meus públicos de evangelismo, meus alunos e aqueles que eu orientei lhe dirão que minha intenção no ministério sempre se fundamenta nas Escrituras. No fim, verificação, comprovação e refúgio final se encontram nas Escrituras. Assim, peço que você estude as referências neste capítulo e lembre-se de que aquilo que cremos e sabemos provém dessas passagens. O Espírito Santo dá testemunho da Palavra de Deus e, em decorrência disso, cremos que as Escrituras são infalíveis e irrefutáveis desde o tempo em que foram escritas até toda a eternidade.

Incluí muitas passagens bíblicas neste capítulo que documentam o que as Escrituras dizem sobre a vida de oração de Jesus. São passagens fundamentais que você precisa conhecer caso queira imitar e refletir a maneira como Jesus liderou as pessoas.

Alguma vez você já se perguntou por que Jesus orava? Se você é Deus, por que orar? A quem você dirige suas orações? A si mesmo? Se você pode tudo, não existe necessidade de orar, certo? Alguns podem dizer que as orações de Jesus eram redundantes ou retóricas. Se você pode simplesmente "falar" a Palavra, como fez ao criar o universo, então a oração é desnecessária. Se você sabe todas as coisas e é o Deus onisciente, por que orar?

Bem, Jesus não parecia ter essas dúvidas, pois ele orava constantemente. Jesus defendia e promovia a oração. Ele imergiu seu ministério em oração e ensinou seus discípulos a fazerem a mesma coisa. Seguem alguns dos muitos versículos que revelam a vida de oração de Jesus:

- "De madrugada, quando ainda estava escuro, Jesus levantou-se, saiu de casa e foi para um lugar deserto, onde ficou orando." (Marcos 1:35)
- "Quando todo o povo estava sendo batizado, também Jesus o foi. E, enquanto ele estava orando, o céu se abriu." (Lucas 3:21)
- "Mas Jesus retirava-se para lugares solitários, e orava." (Lucas 5:16)
- "Num daqueles dias, Jesus saiu para o monte a fim de orar, e passou a noite orando a Deus." (Lucas 6:12)
- "Certa vez Jesus estava orando em particular, e com ele estavam os seus discípulos; então lhes perguntou: Quem as multidões dizem que eu sou?" (Lucas 9:18)
- "Aproximadamente oito dias depois de dizer essas coisas, Jesus tomou consigo a Pedro, João e Tiago e subiu a um monte para orar. Enquanto orava, a aparência de

seu rosto se transformou, e suas roupas ficaram alvas e resplandecentes como o brilho de um relâmpago." (Lucas 9:28,29)

- "Mas eu orei por você, para que a sua fé não desfaleça." (Lucas 22:32)
- "Ele se afastou deles a uma pequena distância, ajoelhou-se e começou a orar." (Lucas 22:41)
- "Estando angustiado, ele orou ainda mais intensamente; e o seu suor era como gotas de sangue que caíam no chão." (Lucas 22:44)

Todo o capítulo 17 de João documenta uma das últimas orações de Jesus, conhecida como a "oração sumo sacerdotal" de Jesus.

Jesus orava de manhã, durante o dia, à noite e, em quatro ocasiões, durante toda a noite (Lucas 6:12; 9:28; Mateus 14:23; Lucas 22:41-44). Ele também ensinou outros a orar (Mateus 6:5-15; 7:7-11; Lucas 11:1-13), persistiu na oração (Lucas 11:11-13; Lucas 18:1-8) e passou sua última noite na terra intercedendo em oração por seus discípulos (João 17; Lucas 22:31).

Contudo, todas essas referências ainda não respondem à pergunta: Por que Jesus orava? Encontramos a resposta em Filipenses 2:5-9. Desde a eternidade, Jesus decidiu se despir de todos os privilégios da deidade e se limitar à experiência humana. Ao fazer isso, ele se tornou o exemplo máximo daquilo que os cristãos devem fazer, que é orar.

Existem poucas coisas registradas sobre Jesus nos evangelhos que são tão consistentes quanto seu hábito de oração incessante. Poderíamos dizer que Jesus tinha o hábito de oração ininterrupta.

Lidere com oração | **65**

Quando os discípulos, perplexos, perguntaram por que Jesus conseguia expulsar demônios, mas eles não, sua resposta foi simples: "Essa é fácil. Eu oro; vocês, não" (paráfrase minha).

- Jesus ensinou que a oração abria a porta para o depósito ilimitado dos dons de Deus que fluem do Pai para o Filho (Mateus 7:7-11; Lucas 11:1-13).
- A oração era o método pelo qual Jesus estabelecia e mantinha um relacionamento íntimo com o Pai (João 17; Lucas 24:33,44).
- Os evangelhos mostram que a oração era a fonte de poder na vida de Jesus (compare Lucas 5:16 com Lucas 5:17, e Lucas 6:12 com Lucas 6:19).
- A oração era o poder que fazia com que Jesus caminhasse sobre a água enquanto os discípulos tentavam a noite toda alcançar o outro lado do mar da Galileia (Mateus 14:23).
- A oração pelos seus discípulos foi a última atividade de Jesus no jardim do Getsêmani antes de ser levado ao seu julgamento e execução (João 17).
- Jesus descreveu o templo de Herodes como "casa de oração". Ele foi ainda mais longe, dizendo que a casa de oração pertencia a ele e a seu Pai. Quando a casa de seu Pai se transformou em "covil de comerciantes", isso resultou numa repreensão rápida e pungente (Mateus 21:13; Lucas 19:45; João 2:16,17).
- Jesus passou a noite em oração antes de escolher seus discípulos (Lucas 6:12).
- Jesus estava em oração em todas as três ocasiões em que o Pai falou com ele de forma audível (Lucas 3:21; Lucas 9:18; João 12:28).
- Jesus orou na cruz (Mateus 27:46).

Tantas casas de adoração raramente incluem mais do que algumas palavras superficiais de oração no início, no meio e no fim de um culto. Isso é trágico! A oração deve ser um subtema reconhecido de qualquer reunião feita em nome de Jesus. A oração precisa pulsar num culto como o baixo numa música. A oração deve ser feita em qualquer momento orientado pelo Espírito Santo. Tenho liderado cultos em que a orientação do Espírito Santo tem sido simplesmente a de orar. Por vezes, tenho deixado de lado meu texto preparado e orado durante todo o tempo reservado para o culto. A oração é de suma importância! Não podemos permitir que ela seja excluída de nossas reuniões ou da nossa vida.

As congregações de hoje não sabem mais orar. Em muitos casos, a oração foi moldada para elas por seus líderes, mesmo assim, elas são inseguras e inexperientes.

No entanto, as vendas de livros e outros produtos estão indo muito bem, obrigado. Temos estantes cheias de livros e CDs à venda e, muitas vezes, promovemos esses produtos mais do que oramos. Se quisermos nos tornar líderes a exemplo de Jesus, precisamos voltar para os fundamentos da oração. Se Jesus aparecesse hoje em algumas das nossas igrejas, é possível que ele não fosse bem-vindo, pois algumas das nossas igrejas têm se transformado em casas de comerciantes e cambistas. O chicote na mão de Jesus seria usado como foi usado em Jerusalém. Ele purificaria essas igrejas e não ofereceria nenhuma bem-aventurança.

Recursos como livros e DVDs são uma extensão do nosso treinamento, mas não podem substituir a oração.

Por meio da oração, o *natural* do homem se transforma no *sobrenatural* de Deus. Quando a mão finita do homem toca a mão de Deus, ela se transforma numa extensão do infinito.

Lidere com oração | **67**

> A oração é a única coisa conhecida que permite ao homem entrar numa parceria com Deus para cumprir sua vontade na terra.

Deus pode fazer qualquer coisa por conta própria, sem a ajuda de qualquer intervenção humana. Você pode ter certeza disso. Mas Deus é um Deus misericordioso que quer unir a humanidade aos seus caminhos. Ele decidiu colocar o homem em linha e em parceria com seu poder e propósito eternos por meio da oração. Pode parecer tão simples e primitivo quanto quando as pessoas esticam uma corda entre duas latas de conserva para usar como um telefone. Por que Deus deveria ouvir o homem? Mas é o que ele faz, e ele nos encoraja a orar e a trazer o céu para a terra. Podemos mudar o curso da história por meio da oração! Ela é algo tão precioso que:

- nos leva até o céu e traz o céu até nós;
- é o pavio que explode a dinamite do poder de Deus dentro do cristão;

- transcende o tempo e conecta o futuro ao presente;
- permite ao cristão cumprir a oração de Jesus e fazer na terra o que ele já fez no céu (Mateus 6:9,10).

Uma grande razão para ler todos os evangelhos é extrair pepitas de verdade que constam em alguns textos, mas não em outros. Por exemplo, em Mateus 16:15, Jesus pergunta a Pedro: "Quem você diz que eu sou?", e a famosa e muito citada resposta de Pedro é: "Tu és o Cristo, o Filho do Deus vivo". Penso: "Ótimo trabalho, Pedro. Você é um gigante espiritual". Mas existe outro aspecto na resposta de Pedro. Lucas 9:18 documenta que a resposta de Pedro ocorreu num momento em que Jesus estava em seu meio, orando. A fim de deixar claro que a resposta de Pedro era mais do que um tiro no escuro, Jesus revelou que foi o Pai a fazer essa revelação a Pedro (Mateus 16:17). Se Jesus estava orando no meio de seus discípulos, pedindo uma resposta tanto de Pedro quanto do Pai, quanto mais deveríamos nós orar juntos como grupos de cristãos?

O poder secreto na vida de Jesus resultava diretamente da oração. Compare estes versículos e veja se consegue chegar a uma conclusão: Marcos 1:35-45; Lucas 5:16-26; 6:12-19. Existe uma relação direta entre oração e poder. Oração significa poder; falta de oração significa falta de poder.

Se você perguntasse a seu grupo de amigos "Quem está salvo hoje porque alguém orou por vocês?", posso garantir que todos levantariam o braço. Mas, se este for o caso, por que não gastamos mais tempo orando pela salvação das pessoas? A oração é uma ferramenta evangelística muito mais eficaz do que ficar na esquina com um cartaz que diz "Arrependa-se ou vá para o inferno". A oração traz o Espírito Santo para o nosso meio, e nada converte nosso coração tanto quanto a presença do Espírito Santo, que nos faz sentir a compaixão e o poder maravilhosos de Jesus.

Jesus prometeu aos seus discípulos que ele oraria ao Pai para que viesse o Espírito Santo como defensor e lembrete dele a nós. Até a vinda do Espírito Santo foi um resultado direto da oração de Jesus (João 14:16).

Por favor, não ignore essa verdade! Se imitarmos Jesus, devemos também orar pela presença do Espírito Santo, para que ele paire e se misture conosco em nosso meio. O evangelismo é iniciado e empoderado pelo Espírito Santo. Eu ousaria até questionar a eficácia de qualquer forma de evangelismo que não esteja arraigada em oração.

No *Comentário ao Livro de Atos*, o Dr. John MacArthur narra a história de cinco jovens alunos de faculdade tentando chegar ao famoso Metropolitan Tabernacle em Londres para ouvir Charles Haddon Spurgeon, famoso pregador do século 19.

> Quando chegaram no Metropolitan Tabernacle, viram que as portas ainda estavam trancadas. Enquanto esperavam nos degraus, um homem se aproximou deles. "Vocês gostariam de ver o sistema de aquecimento desta igreja?" — ele perguntou. Não era esta a razão pela qual tinham vindo, mas concordaram em acompanhá-lo. Ele os deixou entrar no prédio, desceu uma longa escadaria até o corredor. No final do corredor, ele abriu uma porta de uma grande sala lotada com 700 pessoas orando de joelhos. "Isso", disse o seu guia (que era o próprio Spurgeon), "é o sistema de aquecimento desta igreja".

Se perguntássemos a um grupo de cristãos quantas pessoas foram milagrosamente curadas por meio da oração, tenho certeza de que o número seria bastante alto. Por que, então, não oramos pela cura de mais pessoas?

A igreja primitiva orava por curas, sinais e maravilhas, e Deus respondeu enviando um terremoto e enchendo-os com o Espírito Santo (Atos 4:29-31). Evidentemente, Deus gosta de responder a orações relacionadas à salvação e cura de pessoas.

Infelizmente, alguns cristãos se tornaram sofisticados e estafados demais para orar por cura e outros sinais e maravilhas. Somos tão arrogantes e cultos que descartamos orações por cura ou outros sinais e maravilhas? Não podemos permitir que modos de pensamento cínicos nos desviem do caminho de imitar Jesus. Então ore, e ore mais ainda por sinais, maravilhas e milagres. Ore por cura física e emocional. Ore pelo rompimento de amarras demoníacas.

Os dez dias que os discípulos passaram na Sala Superior desde a ascensão de Jesus até o dia de Pentecostes devem ter sido ocupados por oração intensa. Não consigo imaginar Jesus enviando o Espírito Santo, o evento mais poderoso após a ressurreição, em reação a qualquer outra coisa senão oração incessante. Sabemos que, em Atos 1:14, os discípulos estavam se dedicando continuamente à oração. Sabemos também que a oração foi a fonte de poder da igreja primitiva após o derramamento na Sala Superior (Atos 4:29-31).

Não sei se algum dos grandes reavivamentos nos Estados Unidos ou no mundo não nasceu de oração. Oração inicia e sustenta reavivamentos. Com base naquilo que sei sobre a história, quando a oração para, o reavivamento também para.

Em abril de 2006, tive o privilégio de estar num quarto de uma casa em 216 North Bonnie Brae Street em Los Angeles, na Califórnia. Foi nesse quarto que, cem anos antes, William

Lidere com oração | 71

J. Seymour, o fundador do reavivamento pentecostal global, passou 15 horas por dia em oração, de 9 a 14 de abril de 1906.

Observadores do lado de fora disseram que viram algo que se parecia com uma coluna de fogo sobre o teto da casa. Na verdade foram tantos os espectadores que lotaram a varanda da casa para ver o que estava causando a conflagração, que a varanda caiu. Eles estavam vendo não a obra de um incendiário, mas do Espírito Santo, manifesto na forma de fogo como havia feito no dia de Pentecostes. As orações de William Seymore tinham incendiado o pavio que provocou a conflagração pentecostal global, que começou na Rua Azusa cinco dias depois.

Posso confirmar o fato de que o fogo do Espírito Santo causado pelas orações de William Seymour ainda arde cem anos mais tarde. No dia em que estava naquele quarto em 2006, quase exatamente cem anos depois, meu corpo inteiro parecia estar eletrificado. Eu conseguia sentir a presença do Espírito Santo com tanta força que meu corpo formigava com a sensação da presença de Deus. Os pelos dos meus braços se arrepiaram, como agora ao lembrar a história. O Espírito Santo é atraído pelas orações dos santos assim como o Pai era atraído pelas orações de Jesus. Eu acredito que anjos também são atraídos para o lugar de oração. Os capítulos 9 e 12 de Daniel descrevem a oração de Daniel e a resposta imediata de Deus.

Quando lemos os evangelhos, descobrimos um aspecto secundário interessante da vida de oração de Jesus. Em cada ocasião, Jesus orava a noite toda enquanto seus discípulos dormiam. Não houve exceções.

Quaisquer que tenham sido as deficiências que os discípulos tinham em sua vida de oração durante o ministério terreno de Jesus, elas desapareceram completamente após sua ressurreição e ascensão. A igreja primitiva priorizava a oração. Antes e depois de Pentecostes, a igreja orou, e orou, e orou.

A oração está presente em cada capítulo do livro de Atos, desde o 1º até o 16º, com exceção do capítulo 15. Os primeiros discípulos oravam sempre. Quando as Escrituras não dizem que eles estavam em oração, elas dizem que estavam ou a caminho para orar, ou no lugar de oração ou voltando da oração. A oração era a atividade mais importante na igreja primitiva. Os primeiros discípulos e cristãos finalmente acataram isso. Eles viram, pela vida de Jesus, que nada do céu ocorre na terra sem oração prevalecente.

A razão pela qual não vemos mais pessoas se libertarem das garras do pecado, livres do controle demoníaco, curadas de doenças ou livres de enfermidades paralisantes, como Jesus deixou claro, é que não oramos. Nada de valor eterno será realizado na terra sem oração. Paulo ordenou que devemos "orar sem cessar", ou seja, a cada momento sobre todas as coisas (Tessalonicenses 5:18).

## Elias era como nós

Tiago 5:16 diz que Elias era um homem como nós, mas, quando ele orou, Deus fechou os céus por 42 meses, apenas para reabri-los por causa de orações. As orações de Elias fizeram fogo cair do céu, o capacitaram a correr mais rápido do que a carruagem do rei e a destruir os profetas de Baal. Tiago deixa claro que a oração de um homem justo é poderosa e eficaz.

É a minha convicção, após estudar Apocalipse 5:8 e 8:3, que as atividades cataclísmicas dos últimos dias durante a Grande Tribulação serão desencadeadas quando as orações do povo de Deus encherem os vasos de oração celestiais, que então serão derramados sobre a terra.

> Ao recebê-lo, os quatro seres viventes e os vinte e quatro anciãos prostraram-se diante do Cordeiro. Cada um deles tinha uma harpa e taças de ouro cheias de incenso, que são as orações dos santos. (Apocalipse 5:8)

> Outro anjo, que trazia um incensário de ouro, aproximou-se e se colocou de pé junto ao altar. A ele foi dado muito incenso para oferecer com as orações de todos os santos sobre o altar de ouro diante do trono. E da mão do anjo subiu diante de Deus a fumaça do incenso juntamente com as orações dos santos. (Apocalipse 8:3,4)

Eu amo esta passagem em Daniel 10:12: "Não tenha medo, Daniel. Desde o primeiro dia em que você decidiu buscar entendimento e humilhar-se diante do seu Deus suas palavras foram ouvidas, e eu vim em resposta a elas".

Não faria sentido se, caso toda a atividade sobrenatural tenha sido causada na terra pela oração da igreja durante todos esses séculos desde a ausência de Jesus, as nossas orações causassem também o seu retorno?

Nós, como líderes no corpo de Cristo, não podemos esperar um reavivamento em nossas igrejas, cidades ou nações sem oração zelosa e ardente. O primeiro Grande Reavivamento que ocorreu nos Estados Unidos no século 19 foi resultado de orações. O último Grande Reavivamento será global e um resultado direto da igreja em oração.

## A história de Daniel Diaz

Em novembro de 2013, um dos líderes de jovens mais promissores que já conheci, Daniel Diaz, levou um tiro pela janela de seu carro enquanto estava parado num semáforo em Pomona, na Califórnia. Daniel foi morto por um estranho enquanto estava dando carona para um grupo de jovens após um evento na igreja.

Em reação ao assassinato de Daniel, David e Donna Diaz, seus pais e os pastores da New Beginnings Church em Baldwin Park, na Califórnia, começaram a orar. Durante anos, o casal Diaz e sua igreja têm orado todas as manhãs às 5 da manhã. Eles transferiram o local das vigílias para o local do assassinato de Daniel. Em vez de tumultos e vandalismo, reuniões de oração começaram a ocorrer durante o dia inteiro. Os pastores da igreja também se reuniram em união.

Desde a morte de Daniel em novembro de 2013 até o final de 2014, a taxa de homicídios caiu incrivelmente 200%. Os pastores locais acreditam que o declínio drástico em homicídios foi um resultado direto da oração.

David e Donna começaram a ministrar aos pais de outras vítimas de assassinato. Amor substituiu raiva e ódio e se tornou a expressão comum. As orações continuadas da família e da igreja estão produzindo uma ceifa de justiça.

Em 17 de janeiro de 2017, no dia do julgamento do acusado, o pastor David Diaz, Donna e a família chegaram ao tribunal armados com 50 intercessores de oração da sua igreja. O resto da história é nada menos do que milagroso. Após o acusado declarar "nada a contestar", eles receberam a permissão de mostrar no tribunal um curto vídeo com uma pregação de Daniel. A irmã de Daniel, Doreen, seu irmão David Júnior, seguidos pelos pais, David e Donna, se levantaram e perdoaram o assassino de seu filho. Eles também disseram ao jovem acusado que sua vida ainda não tinha terminado. Deus tinha um plano para ele que ainda seria cumprido. Deus o tinha chamado para pregar a mensagem de Jesus e sua redenção aos homens na prisão.

O restante da história ainda está sendo escrito, sustentado por asas de oração. Eu, porém, tenho certeza de uma coisa: que Deus responde às orações e que a morte de Daniel não foi em vão. A oração garantirá a vinda do reavivamento, de alguma forma e em algum momento. O incenso da oração e da adoração foi oferecido e os vasos em breve estarão cheios ao ponto de transbordarem e inundarem a comunidade. O que começou como tragédia terminará em triunfo porque pessoas oraram com amor.

## Youngstown, Ohio

Em 1995, Devi e eu nos mudamos para Youngstown, Ohio, e eu comecei uma igreja no centro da cidade. Na época, Youngstown era a capital de homicídios de Ohio. Tínhamos uma taxa de homicídios cinco vezes mais alta do que em cidades normais do nosso tamanho. Começamos a orar. Alguns meses depois, um jornal relatou que os homicídios tinham diminuído inexplicavelmente em medida significativa.

A máfia controlava grande parte do nosso governo local, incluindo os juízes, o xerife, um ex-procurador, um deputado nacional e autoridades civis. Um ano após começarmos a orar, uma operação do FBI literalmente apagou a maior parte do crime organizado na nossa cidade. Até mesmo o xerife foi preso por manter laços com o crime organizado.

Comecei este capítulo dizendo que gostaria de me sentar com você e compartilhar as verdades da maneira como Jesus viveu sua vida terrena e liderou outros. Devemos ver a oração não só como uma obrigação, mas como uma linha aberta e especial de comunicação com o Senhor. Nossas orações devem ser constantes e frequentes, feitas com confiança total de que Deus nos ouve e nos honra. Cada cristão que ora com fervor persistente receberá uma atenção incrível do Pai. Isso é parte da promessa que recebemos, e não devemos ignorá-la. Oremos por nossas crianças, nossas mulheres e nossos homens. Não delegue a oração a outros. Não perca sua oportunidade de passar tempo com o Pai. Ele quer ouvir você. Ele está esperando que você viva a sua vida e lidere outros, assim como fez seu Filho: em oração.

CAPÍTULO **4**

# Lidere
# através da
# reprodução

*Portanto, vão e façam discípulos de todas as
nações, batizando-os em nome do Pai e do Filho
e do Espírito Santo, ensinando-os a obedecer a
tudo o que eu lhes ordenei. E eu estarei sempre
com vocês, até o fim dos tempos.*

**Jesus Cristo (Mateus 28:19,20)**

Como o mundo costuma escolher candidatos à liderança? Naturalmente, procuramos pessoas talentosas com currículos impecáveis, bons hábitos, carisma, charme e boa família.

É assim que o mundo costuma fazer. Mas vejamos como Jesus escolheu líderes, pois os métodos de Jesus são sempre diferentes.

Após passar a noite inteira em oração pedindo sabedoria ao Pai, Jesus escolheu homens que ocupariam os últimos lugares na maioria das listas de contratação. Suas escolhas parecem totalmente arbitrárias e não convencionais para os padrões do mundo. Certamente, ele escolheu uma equipe totalmente oposta ao que chamaríamos de "ideal". Eu não os chamaria de "escória" do antigo Israel, mas certamente não eram a elite da Palestina.

Apenas um deles era culto, Judas Iscariotes. Os outros certamente sofriam de casos graves da síndrome dos fracassados.

- Quatro eram pescadores. Após encontrarem Jesus, abandonaram seus barcos, o que deve ter sido uma boa ideia, pois os evangelhos nunca os mostram pegando peixes, a não ser quando Jesus está com eles no barco.

Lidere através da reprodução | 81

- Dois deles, Tiago e João, eram chamados de "filhos do trovão", uma descrição que alude ao seu temperamento descontrolado.
- Mateus trabalhava para a versão judaica da Receita Federal.
- Tomé era o pessimista perfeito. Era um gêmeo, o que nos leva a perguntar como era o seu irmão. Ele teria sido uma escolha melhor?
- Um deles, Natanael, menosprezou Jesus antes mesmo de conhecê-lo ao perguntar: "Como algo de bom pode vir de Nazaré?". Ele era julgador e talvez até racista.
- Outro era um revolucionário e anarquista radical, praticamente um fora da lei. Seu jogo era a insurreição, e ele era bom no que fazia. Seu nome, Simão, o zelote, dizia tudo.
- Tiago, o filho de Alfeu, tinha o epíteto infeliz "menor". A precondição perfeita para um complexo de inferioridade. Por que seus pais não o chamaram "Tiago, o Maior"? Quem desejaria ser "Tiago, o Menor"?
- Onze dos 12 homens que seguiram Jesus eram galileus. A maioria dos galileus não recebia uma educação que merecesse esse nome. Até Lucas, em Atos, se refere a esse fato (Atos 4:12).
- Segundo os padrões do mundo, Judas Iscariotes era o único no grupo que tinha o que um líder precisava: era um homem educado e culto. E Jesus lhe confiou as finanças. No início, Judas parecia ser o homem com o maior potencial de sucesso no grupo. Todos os outros estavam fadados a permanecer homens esquecidos pela história. Pareciam destinados à insignificância e ao anonimato; ninguém estaria disposto a investir neles. Eles

eram identificados pela distinção horrível de serem "comuns".

Mas, a despeito da aparente mediocridade, Jesus os chamou, e eles abandonaram tudo — família, bens, profissão — para segui-lo, uma pessoa que mal conheciam. Se não fosse Jesus, o mestre fazedor de discípulos, Pedro, Tiago e João não seriam nomes comuns em quase todas as línguas do mundo. Se não fosse Jesus, eles teriam permanecido incógnitos e ignorados pela história. Mas Jesus viu algo extraordinário neles, e eles mudaram o mundo.

Jesus nos mostrou que, por meio do discipulado, bons líderes são capazes de pegar homens comuns com um potencial aparentemente pequeno e transformá-los em grandes líderes. O que faz a diferença é a qualidade do líder, não a qualidade do discípulo.

Aqui está a parte que fez com que um fogo ardesse dentro de mim durante toda a minha vida. Aqui está a parte que o Espírito Santo me mostrou já cedo e que ele usou para orientar meus passos, meus dias e meus anos como líder. Esta é uma verdade que soa como um sino e me enche de alegria e esperança.

## Transformando o ordinário em extraordinário

A verdade é que bons líderes, bons treinadores e bons mestres podem transformar pessoas medíocres em pessoas extraordinárias. É verdade! É poderoso. É um conceito divino capacitado pelo Espírito Santo e dado ao seu povo.

Tenho visto como técnicos dedicados e apaixonados transformaram talentos medíocres e indisciplinados em grandes jogadores. Tenho visto maestros talentosos formarem orquestras incríveis com músicos ordinários. Tenho testemunhado como mestres extraordinários formaram alunos excepcionais a partir de crianças com desempenho baixo. Líderes e professores extraordinários, usando princípios de discipulado, podem transformar pessoas ordinárias em pessoas que transformam o mundo.

Jesus escolheu 12 zés-ninguém e, com exceção de Judas, que o traiu, transformou 11 deles em homens que mudaram o mundo. Esse bando heterogêneo de galileus virou o mundo de ponta-cabeça dentro de duas décadas após a ressurreição de Jesus.

O discipulado não é apenas um princípio da liderança cristã; é um princípio de toda liderança. A pergunta não é se um aluno é bom, mas se o líder inspirado está disposto a investir no aluno.

O discipulado faz a diferença. Ele é o âmago do treinamento de liderança. No mundo de trabalho, existe um processo de treinamento no qual uma pessoa é o mentor e outra pessoa é o estagiário. Os sindicatos chamam o mentor de "artífice", e o estagiário de "aprendiz". Médicos fazem um estágio antes de abrirem sua própria clínica. Esse modelo vem sendo usado desde Sócrates. Durante séculos, futuros artistas têm convivido com seus mestres até se tornarem grandes artistas — sua mediocridade se tornou extraordinária.

## Discipulado é: "Observe, veja o que faço e depois faça você"

Discipulado não é "Ouça o que digo e faça". O apóstolo Paulo expressou isso sucintamente em 1Coríntios 11:1: "Tornem-se meus imitadores, como eu o sou de Cristo". A palavra grega para "imitar" é *mimetes*, da qual deriva a nossa palavra "mímica".

O princípio é: Siga-me assim como eu sigo Cristo. Quando eu dou um passo, você dá um passo. Siga-me enquanto o Senhor o colocar do meu lado, depois faça o mesmo por aqueles que seguem você. No final, virá um momento na vida de cada discípulo em que ele não seguirá mais, mas liderará.

Discipulado não se aprende numa sala de aula. Aulas não podem fornecer um treinamento aprofundado, prático como a vida real. Até mesmo as melhores aulas raramente oferecem mais do que uma palestra. Numa sala de aula, relacionamentos profundos entre professor e aluno não são formados. O aluno não acompanha a vida familiar do professor, suas interações diárias com as pessoas ou o decurso de seu dia vivido hora após hora. No contexto acadêmico, o aluno não tem como participar do dia a dia de seu mentor.

Jesus fez o oposto; ele pediu que seus alunos o seguissem e vissem sua vida. A sala de aula de Jesus era a estrada. Durante três anos e meio, eles o seguiram 24 horas por dia, 7 dias por semana, e absorveram a essência daquilo que ele fazia e dizia. Ele se tornou transparente para eles e lhes permitiu experimentar cada detalhe de sua vida. Ele permitiu que eles observassem, seguissem, vissem, imitassem e questionassem. Eles não leram um livro. Os discípulos percorreram as estradas, conversaram com Jesus e testemunharam milagres.

O impacto pessoal que Jesus teve sobre os discípulos pode ser visto facilmente na primeira epístola de João.

O apóstolo amado inicia sua carta com a descrição pessoal de sua experiência com o Mestre: "O que era desde o princípio, o que ouvimos, o que vimos com os nossos olhos, o que contemplamos e as nossas mãos apalparam — isto proclamamos a respeito da Palavra da vida. A vida se manifestou; nós a vimos e dela testemunhamos" (1João 1:1,2).

Lidere através da reprodução | **85**

Existe algo mais pessoal? Grande parte das nossas práticas de discipulado atuais é tudo, menos prática. Os discípulos de muitos pregadores modernos raramente têm a chance de vê-los ou tocá-los pessoalmente.

Jesus não lhes ensinou, ele lhes *mostrou*. Eles viram sua reação em cada situação. Em vez de fazer palestras, ele andou e conversou com eles. A Palavra se tornou viva e evidente para eles. Isso aponta para um princípio absolutamente necessário do discipulado bem-sucedido: Você precisa *mostrar*, e não só falar com aqueles que você discipula. Suas ações precisam falar mais alto do que suas palavras.

Recentemente, um jovem líder do Brasil passou dez dias em minha casa. Pouco antes de partir, pedi que ele avaliasse o tempo que tínhamos passado juntos. Perguntei a ele qual foi a experiência mais notável durante a viagem. Pensei que ele citaria um dos pontos turísticos que tínhamos visitado, talvez um restaurante em que tínhamos comido ou alguém a quem eu o tinha apresentado. Eu tinha certeza de que o estádio AT&T, no qual joga o Dallas Cowboys, era o ápice dos pontos turísticos que tínhamos visto. Ou que ver caubóis reais conduzindo gado no sítio histórico de Fort Worth ocuparia um dos primeiros lugares em sua lista.

Eu estava errado.

Sua resposta foi reveladora: "Ver você e Devi foi a lembrança mais especial para mim: o que vocês fizeram, como vocês trataram um ao outro, como vocês se amam, como vocês interagiram e até mesmo como você se levantou e lavou a louça. Você atendeu a todas as ligações, respondeu a todos os seus e-mails e mensagens imediatamente. Nunca conheci um líder que fizesse isso. Eu li seu livro *The Teleios Man* [Teleios — o homem completo], mas isso foi ainda melhor. Eu vi o que você fez".

## Um mentor verdadeiro pode ser tocado

Um mentor verdadeiro envolverá os cinco sentidos de seu aluno, que aprenderá com aquilo que vê, sente o cheiro, toca, degusta e ouve.

Este é um bom momento para fazer uma pergunta ao meu querido leitor: "Em sua opinião, o que mais impactou os discípulos: os sermões ou as ações de Jesus; seus milagres ou seu companheirismo?". Reflita sobre isso! Uma pergunta igualmente importante é: O que as pessoas veriam ou ouviriam ou como elas se sentiriam se passassem dez dias com você?

Cada mãe e pai precisa usar princípios de discipulado, caso contrário seus filhos crescerão sem qualquer forma de treinamento de caráter. A falta de discipulado numa criança produz falta de cuidado, rebelião, indolência, imprudência, preguiça e desrespeito. Ignore o treinamento de discipulado de seu filho ou filha, e você corre o risco de formar uma criança sem defesas contra depressão, abuso de drogas, abuso sexual e todas as outras armadilhas que estão à espreita de nossos filhos. Uma criança indisciplinada não tem a estrutura e os limites necessários para conter sua própria personalidade. Essa criança será vulnerável e danificada.

Pais que dão ordens aos seus filhos sem lhes servir como exemplo amoroso correm o risco de criar filhos presos a uma vida de alienação, desobediência e imaturidade perpétua. Precisamos ensinar por exemplo ou seguiremos uma trilha escorregadia com nossos filhos.

Nada mais apropriado e correto do que o fato de que as últimas palavras de Jesus expressaram o que ele vinha fazendo durante três anos e meio. Mateus 28:19 registra as palavras de Jesus no monte das Oliveiras: "Vão e façam discípulos de

Lidere através da reprodução | **87**

todas as nações". É fato que Jesus passou a maior parte de seu tempo treinando 12 homens que ele escolheu para terem um relacionamento com ele, e não pregando às multidões.

É claro, Jesus pregou às multidões — especialmente durante o Sermão na Montanha —, na alimentação dos 5 mil e em sua última semana em Jerusalém. Mas ele passou 24 horas por dia, 7 dias por semana e 365 dias por ano treinando 12 homens. Ele até compartilhou suas refeições com eles. Quantos dos líderes atuais fariam isso?

Pouco tempo após Devi e eu nos tornarmos pastores de uma igreja em Camp Hill, na Pensilvânia, eu comecei a discipular Gene McGuire, um homem condenado à prisão perpétua que eu tinha conhecido numa série de reuniões de reavivamento na capela da prisão de Camp Hill. Esse discipulado continuou por 25 anos até que, finalmente, Gene foi solto em 3 de abril de 2012. Durante 25 anos, a cada aniversário, Natal e Ação de Graças, minha família me via atrás das grades discipulando Gene. Durante os primeiros anos, eu pude entrar na prisão semanalmente. Após nos mudarmos para Ohio, minhas visitas se reduziram a uma vez por mês e a uma viagem de carro de seis horas. Eu não ia sozinho: levava família, amigos, membros da igreja e até mesmo minha mãe idosa para visitar Gene. Quando pessoas nos visitavam durante as férias, eu as levava também. Gene fazia parte da minha rotina. "Vocês gostariam de visitar a NFL Football Hall of Fame em Canton? Vocês gostariam de assistir a um jogo de baseball em Cleveland? Vocês gostariam de visitar Gene McGuire numa prisão em Bellefonte, na Pensilvânia?". Eu acredito em permanecer ao lado de uma pessoa por muito tempo.

Falando nisso, Gene McGuire escreveu seu próprio livro: *Unshackled*. Como um homem pode passar 35 anos na prisão por um crime que ele não cometeu e sair sem um traço sequer de amargura? Gene conseguiu. E esse livro conta como. Na verdade, é muito mais do que uma autobiografia, é um dos melhores livros sobre discipulado que eu já li. Você precisa comprá-lo *on-line* ainda hoje. Neste instante.

Por que não discipulamos outros da mesma forma como Jesus fez? Por que não incluímos pessoas em cada minuto e segundo da nossa vida? Por que não fazemos nossas refeições, cumprimos nossas tarefas e oramos abertamente com aqueles que lideramos?

Discipulado é um conceito praticamente alheio ao Antigo Testamento. Moisés tinha seu assistente, e Eliseu seguiu Elias teimosamente para onde quer que fosse, mas eles nunca foram seus mentores como Jesus. A revelação do discipulado como método de Deus para treinar líderes e cristãos só seria manifestada plenamente por Jesus em forma terrena em suas caminhadas com seus 12 discípulos. Ele ensinou uma nova forma de liderar. Jesus liderou de forma diferente.

## Observe!

Discipulado envolve mais do que ensinar; ele mostra às pessoas, por via do exemplo, o que elas devem fazer. Ele as convida para a sua vida. Ele permite a elas caminhar com você e observar como você lidera. Ele permite que elas vejam seu caráter. Ele as convida para compartilharem de sua autoridade. Ele permite que elas vejam até suas fraquezas, uma parte importante de seu treinamento. Ao estarem cientes de seus erros, elas podem evitar armadilhas e obter sabedoria. Elas devem se sentir amadas, confirmadas, confiantes e livres para copiar o exemplo de seu líder. O discipulado é o vento em suas velas. O discipulado confirma seu chamado e valida sua unção.

Muitos líderes têm medo do discipulado porque ele exige vulnerabilidade e transparência, e vulnerabilidade é a chave para a conexão. É impossível manter seus seguidores a distância e discipulá-los ao mesmo tempo. Ou você permite que eles observem você de perto ou você renuncia à sua responsabilidade como pai ou mãe espiritual.

Paulo mostra à igreja de Corinto (1Coríntios 4:14-17) que existem milhares de mestres pagos entre eles dispostos a aceitar dinheiro por seus serviços, mas que não estão dispostos a serem pais. É impossível ser um pai na fé e se recusar a investir na vida de seus discípulos. Discipulado é responsabilidade *prática*, não algo que você pode delegar a mestres pagos. Se não estiver disposto a fazer o "trabalho pesado" do discipulado, você não é qualificado para ser um pai na fé.

Ao longo dos anos, tenho levado centenas de homens em viagens de palestras ou de missões com o propósito de ensinar-lhes a orar, a estudar a Palavra de Deus, a servir às pessoas, a descobrir o propósito de Deus em sua vida e a tratar suas esposas de forma respeitosa. Longas viagens são excelentes para propósitos de treinamento. Eles se tornam um público cativo. Até mesmo trabalhos no jardim ou na igreja podem servir ao mesmo propósito. Em vez de ir sozinho, convide alguém em quem você queira investir. Você nunca sabe, um encontro pode mudar sua vida para sempre.

As últimas palavras de Jesus nesta terra foram: "Vão e façam discípulos..." (Mateus 28:19). Ele não nos instruiu a fazer fiéis, membros da igreja, cristãos ou pessoas boas, mas discípulos. Ele disse aos seus discípulos: "Sigam-me", e não "Ouçam as minhas pregações às multidões" ou "Participem de minhas aulas de discipulado". Jesus mostrou o que significa ser um discípulo, e então os instruiu a fazer o que ele fez. E o que é ainda mais importante: ele lhes mostrou quem é o Pai.

Dallas Willard, falecido professor de filosofia na USC em Los Angeles, na Califórnia, chama esse versículo em Mateus 28:19 de a "Grande Omissão", pois pouquíssimas pessoas realmente o fazem. A citação de Willard referente ao discipulado é: "E esta é a Grande Omissão da Grande Comissão em que a Grande Disparidade está firmemente arraigada. Enquanto a Grande Omissão é permitida ou sustentada, a Grande Disparidade florescerá".

Willard confirma as palavras de Paulo: "Embora possam ter 10 mil tutores em Cristo (a palavra grega *paidogogos* significa "professores pagos"), vocês não têm muitos pais, pois em Cristo Jesus eu mesmo os gerei por meio do evangelho" (1Coríntios 4:15).

A palavra grega para "inúmeros" na *English Standard Version* costuma ser traduzida como "10 mil" na maioria das outras traduções. A palavra grega é *murios*, da qual provém a nossa palavra "miríade". É isso que Willard chama de a "Grande Disparidade". Temos 10 mil professores pagos, mas poucos pais. Existe uma *Grande Disparidade*, uma grande diferença entre *inúmeros* ou *dezenas de milhares*, e *não muitos*. Muitos estão dispostos a ensinar, mas poucos estão dispostos a fazer discípulos. Muitos líderes estão dispostos a pregar às multidões, mas desdenham disciplinar os poucos. Quando dou aulas a pastores ou líderes, eu expresso isso desta forma: Vocês estão dispostos a pregar às multidões na manhã de domingo, mas não estão dispostos a tomar um café com um discípulo na segunda-feira de manhã. Algo precisa mudar.

Na era grega antes de Cristo, um pai que não queria se preocupar com o treinamento de seus próprios filhos contratava professores que levavam seus filhos até a escola e os instruíam. Eram chamados pedagogos, os professores pagos.

Paulo está dizendo que temos poucos pais no nosso meio em comparação com os 10 mil professores/pregadores pagos. O coração de Deus, profundamente revelado em Jesus, prega acompanhamento, relacionamento paternal, e isso não acontece por meio de professores pagos.

## Passos do discipulado exemplificados por Jesus

1 Seja você também um discípulo (Lucas 2:49-52).

2 Faça ou treine discípulos (Mateus 4:19; 10:1-15).

3 Comissione ou libere discípulos para que façam outros discípulos (Mateus 28:18-19).

Cada líder deveria fazer desses três passos uma parte de sua vida. Eu sou um discípulo, ou seja, eu posso ser instruído e corrigido. Eu tenho aprendido discipulado sob a autoridade de um mentor. Em segundo lugar, eu discipularei outros nos caminhos de Cristo. Eu os instruirei, caminharei com eles, serei seu mentor e um exemplo da semelhança de Cristo. Por fim, libertarei meus discípulos para que se tornem fazedores de discípulos.

Dediquei um capítulo inteiro deste livro a esse último passo. Muitas vezes, até mesmo bons fazedores de discípulos têm dificuldades de libertar seus discípulos. Todo o propósito do discipulado é ver homens e mulheres liberados em seu chamado para fazerem discípulos, não prendê-los. Um bom mentor vive na expectativa do momento em que o sucesso de seus discípulos é maior do que o seu próprio.

## Pensamento final

O tempo de um líder seria significativamente mais eficiente se ele gastasse mais tempo treinando os poucos discípulos que Deus lhe deu e menos tempo instruindo as multidões. Assim, ele poderia desenvolver um grupo de discípulos poderosos e ver um crescimento exponencial em seus ministérios. Na verdade, eles poderiam acabar alcançando o mundo inteiro. Você treina 12, estes treinam 12, e estes treinam outros 12, e dentro de três anos o mundo inteiro poderia ser alcançado. Pregar em reuniões e para multidões não são ações capazes de fazer isso.

Imagine fazer um investimento no mercado financeiro. Normalmente, você sempre sabe como o investimento está se desenvolvendo. É possível rastrear seu portfólio e acompanhar o desempenho de cada ação ou fundo. Mas não é assim com o discipulado! Você pode investir semanas, meses ou anos em alguém e só conhecer seu desempenho muito tempo depois. Visto que o discipulado é profundamente relacional, às vezes demora anos até que os resultados se evidenciem. Se Jesus tivesse tido uma personalidade depressiva, a última noite antes de sua crucificação teria sido desastrosa. Um de seus discípulos o traiu; 11 fugiram quando ele foi preso, e Pedro o negou não só uma, mas três vezes. Se você tiver alguma noção de matemática, sabe que as perspectivas não eram nada boas. Como líder, não existe coisa mais deprimente do que o abandono dos seus seguidores.

Lidere através da reprodução | 93

Discipulado é como paternidade. Você pode não conhecer o resultado de seu investimento por um bom tempo. Seu filho precisa se tornar um adulto. Seus discípulos precisarão cometer alguns erros e amadurecer enquanto testam o que você lhes ensinou. Podem se passar anos antes que você tenha algum retorno sobre seu investimento. Mas lembre-se: o tempo de Deus é diferente do nosso.

Se eu fosse Jesus, teria me sentido um fracasso. Após passar mais de três anos com seus discípulos, cada um deles o negou de alguma forma. Você consegue imaginar o que lhe passou pela cabeça? Eu teria dito a mim mesmo: "Que desperdício de tempo. Gastei tantos momentos com meus discípulos e meus esforços não deram em absolutamente nada. Nenhum deles permaneceu do meu lado na hora da minha tribulação".

Muito tempo atrás, ouvi uma pessoa sábia dizer: Não conte com o placar no intervalo do jogo.

No jardim, os discípulos o rejeitaram abertamente.

Na cruz, as coisas estavam deploráveis, e apenas um único discípulo, João, o amado, se mantinha perto.

Depois da cruz, todos voltaram para sua vida antiga na Galileia.

Felizmente, eles compareceram ao monte das Oliveiras para se despedir de seu líder e testemunhar a ascensão.

Contudo, a partir do dia de Pentecostes, eles avançaram em poder.

Atos 17:6 diz a seu respeito: "Esses homens têm causado alvoroço por todo o mundo".

A obra do evangelismo global que levou o Império Romano a se prostrar de joelhos dentro de quatro séculos é testemunho da eficácia dos discípulos, mas, num sentido muito mais profundo, da eficácia de Cristo como maior líder que o mundo conheceu.

Com exceção de João, o amado, cada um dos 11 discípulos seguiria os passos de seu líder e sofreria a morte de um mártir. Você sabe por que eles estavam dispostos a morrer por seu líder? Porque seu líder morreu por eles.

Eu quero ser um daqueles líderes que amam, treinam, exemplificam e trilham o caminho até aqueles que me seguem o entenderem. Quero virar o mundo de ponta-cabeça, um discípulo por vez. No decurso de uma vida de ministério, é incrível quantos você pode influenciar.

Em suma, quero liderar como Jesus. Ele liderou de modo diferente.

CAPÍTULO **5**

# Lidere

# garimpando o
# ouro nos outros

*Quando tratamos o homem como ele é,
nós o tornamos pior do que é; quando o
tratamos como se já fosse o que poderia ser
segundo seu potencial, nós o transformamos
naquilo que ele deve ser.*

**Goethe**

Jesus era um garimpeiro!

Ele encontrou ouro em lugares em que ninguém mais garimpava. Ele olhava a paisagem e conseguia enxergar o brilho de pepitas preciosas enterradas na lama e na sujeira. Outros olhavam para as pessoas e só viam sujeira inútil, mas Jesus olhava com olhos diferentes e reconhecia o ouro. Quando ele encontrava ouro, livrava-o da sujeira e começava a refiná-lo e poli-lo.

Foi assim que Jesus encontrou seus discípulos. Onde outros viam sujeira inútil, Jesus via ouro.

Times profissionais de basquete enviam exércitos de olheiros para observar jogadores com potencial. Esses olheiros possuem uma capacidade excepcional de procurar talentos numa cidade pequena ou num lugar obscuro onde um garoto joga basquete e vê-lo jogando na primeira liga. Um olheiro de basquete pode entrar numa cidade na qual a garotada joga num campo rachado e reconhecer o fator "uau" num jogador destinado para coisas maiores. Como eles fazem isso? Como Jesus o fez? Como nós devemos fazê-lo?

Lidere garimpando o ouro nos outros | **99**

## Mudando seu olhar

Por alguma razão, é da natureza humana ver o mal nas pessoas antes de ver seu valor. Talvez seja a necessidade de se sentir superior aos outros. Quando expomos os erros dos outros, assim pensamos, as pessoas veem nossas qualidades com maior facilidade. Mas essa perspectiva tem o efeito oposto. Quando você minimiza os outros, rebaixa a si mesmo. E vale também o contrário: quando você eleva os outros, você eleva a si mesmo! É preciso confiança e fé para elevar outras pessoas. Você pode ser um líder santo e experiente que alegremente abre mão de seu próprio brilho elevando outros acima de sua cabeça. Deus abençoará esse sacrifício de preferir os outros a si mesmo. Quando você faz isso, Deus o exalta.

## Vendo santos em pecadores

Jesus tinha a capacidade de olhar para pecadores e sonhar com santos. Ele olhava para além do estado atual de uma pessoa e via o que ela poderia ser. Então ele investia valor e propósito nas pessoas, e elas se tornavam o que Deus queria que fossem.

Sem exceção, os 12 discípulos se pareciam mais com escória do que com ouro. Se eu estivesse nos sapatos de Jesus, tentando treinar líderes que continuassem meu trabalho, eu teria procurado em outros lugares. Eu teria ido onde acontecia uma corrida ao ouro. Eu teria vasculhado as universidades e os lugares nos quais a elite se reunia. Mas não foi o que Jesus fez. Ele escolheu os menos promissores entre os homens. Ao instruir e polir esses homens com paixão, algo extraordinário começou a acontecer. Enquanto Jesus caminhava com eles, os discípulos lentamente absorveram o caráter e os atributos de Jesus.

É preciso ser um grande líder para investir em "zés-ninguém" e transformá-los em "alguéns". É preciso alguém que saiba garimpar. Ele precisa ser persistente, paciente e apaixonado para retirar a lama e descobrir a pessoa crua, ainda informe, que Deus dotou com um talento ou ministério até então não descoberto. A função do líder é encontrar o metal precioso naqueles que ele lidera. Antes, porém, ele precisa acreditar que essas pessoas têm valor.

Precisamos de mais líderes dispostos a pôr suas mãos e seus braços no trabalho e procurar o ouro cru. É fácil ir até a loja de um joalheiro e comprar ouro refinado. Qualquer shopping ou centro comercial oferece lugares que vendem esse ouro. Mas, quando você escolhe ouro que foi garimpado e refinado por outros, se pergunta: "Esse metal é realmente puro? O que estou adquirindo aqui? Não investi esforço algum na purificação e produção deste ouro. O que tenho aqui?".

O processo de garimpar metal cru, refiná-lo e remover suas impurezas não é fácil, e é preciso um trabalhador hábil para produzir ouro puro. Semelhantemente, isso não é o trabalho de um líder sem talentos ou padronizado; é o líder verdadeiro e santo que sabe como extrair o melhor de uma pessoa aparentemente ordinária.

## Obras maiores do que estas vocês farão

Repito o que já disse acima, mas isso é importante! Muitos líderes falham na tarefa de encontrar e polir pessoas talentosas porque temem diminuir seu próprio brilho. Suas próprias

Lidere garimpando o ouro nos outros | 101

inseguranças receiam que alguém possa brilhar mais do que eles ou conquistar mais autoridade, ou se tornar maior em termos de reconhecimento e ministério. Eles temem assumir a postura de João Batista, que se diminuiu para que Jesus crescesse (João 3:30).

Deus nos livre dessa insegurança debilitadora!

O maior legado que um líder pode ter são discípulos mais proeminentes e poderosos do que ele. Nada me deixa mais feliz do que ouvir alguém que Deus me permitiu criar no ministério. Tenho sentado em bancos de igrejas, com um grande sorriso no rosto, observando um filho ou uma filha espiritual ministrando a outros. Você deseja reconhecimento em sua vida como um líder? Então libere aqueles que você discipulou para que façam o trabalho para o qual Deus os chamou. Eles podem ter alguns dos seus tiques ou seu jeito de falar, mas a maior coisa é seu coração que arde em paixão por Jesus, assim como o seu coração ardia quando você os encontrou e iniciou o processo de instruí-los.

Jesus conhecia esse princípio. Foi por isso que, em João 14:12, ele disse: "Fará coisas ainda maiores do que estas". Você acredita nisso? Jesus queria que seus discípulos fizessem coisas maiores do que ele. Quem já ouviu algo parecido? Que líder sonha em produzir homens e mulheres que o superam em fertilidade e produtividade? Bem, um líder que segue o método de Jesus de formar seus discípulos sentirá grande alegria quando seus alunos fizerem coisas maiores!

## Dê a eles um nome novo

Vejamos outra técnica que Deus usou. Se você estudar cuidadosamente os exemplos bíblicos, encontrará vários exemplos de como Deus mudou o nome de uma pessoa para identificar e refletir seu status futuro.

Deus mudou o nome de "Abrão", que significa "pai exaltado", para "Abraão", que significa "pai de uma multidão", aumentando seu território e influência. Quando Deus mudou o nome de Abraão, ele expandiu sua herança para que abençoasse o mundo (Gênesis 17:5).

O nome de Jacó também foi mudado por Deus: antes, seu nome significava "aquele que engana", e foi mudado para Israel, que significa "ele luta com Deus" (Gênesis 32:28).

No primeiro encontro com Simão, cujo nome significa "Deus ouviu", Jesus mudou seu nome para Pedro, ou Cefas. "Pedro" provém da palavra grega *petros*, que significa "rocha" (João 1:42). Durante a vida de Jesus, Pedro se qualificaria mais como uma rocha de ofensa do que como uma rocha de estabilidade, mas, após a ressurreição do Mestre, ele se tornou uma coluna na igreja, levando 3 mil para Cristo em seu primeiro sermão. Pedro escreveu duas epístolas e foi uma das forças principais no estabelecimento de uma igreja florescente na Judeia. Paulo até o chama de "o apóstolo dos judeus" em Gálatas 2:8. Jesus viu o que Pedro poderia ser, não o que ele era, libertando assim o seu destino.

Agora falaremos sobre afirmação. Este conceito é muito poderoso.

## O poder da afirmação

Dentre todos os discípulos, apenas Pedro tentou sair do barco e andar sobre a água até Jesus (Mateus 14:28-31). O que fez Pedro sair da embarcação segura e ir para a água? Bem,

Lidere garimpando o ouro nos outros | **103**

com um líder como Jesus acreditando em você, *você* poderia ser capaz de andar sobre a água. E aqui está a chave para os líderes: existe um poder surpreendente associado ao ato de afirmação.

> A afirmação é capaz de realizar maravilhas na liderança.

Se você luta por alguém, se você lhe dá permissão para fazer algo e se você acredita nessa pessoa, ela desenvolve o poder de um reator nuclear. Não estou brincando nem exagerando! Jesus permitiu que Pedro andasse sobre a água, e Pedro o fez. O que aconteceu? É simples: Pedro assumiu a fé e o poder de Jesus. Falando em termos espirituais, ele subiu nas costas de Jesus e experimentou o milagre da fé. Ele caminhou sobre a água, sem dúvida fixando seus olhos em Jesus, apoiado na afirmação absoluta que viu naquele que acreditava nele.

Em sua caixa de ferramentas de técnicas de liderança, mantenha a afirmação sempre em vista e ao seu alcance. Afirmação é uma dádiva potente. Ela nos liberta para nos tornarmos tudo que Deus diz que podemos ser.

Mas vale também o oposto: é difícil fazer coisas grandes se ninguém acreditar em você.

**104** | Liderando como Jesus

Para onde quer que Jesus olhasse, ele via potencial nas pessoas. Ele sabia como transformar "zés-ninguém" em "alguéns". Ele via sucesso em pessoas nas quais outros viam apenas fracasso. Ele ignorou as condenações e julgamentos e reconheceu seu valor e potencial. Ele sabia como pegar pessoas desinteressantes e colocá-las na estrada para a grandeza.

## Reconhecendo o valor das mulheres

Veja a história da mulher que ungiu Jesus para o sepultamento. Antes de sua morte, uma mulher humildemente decantou e derramou um perfume precioso sobre a cabeça de Jesus enquanto ele estava reclinado à mesa. Quando Judas a acusou de gastar dinheiro que poderia ter sido dado aos pobres, Jesus a defendeu, dizendo: "Por que vocês estão perturbando essa mulher? Ela praticou uma boa ação para comigo. Quando derramou este perfume sobre o meu corpo, ela o fez a fim de me preparar para o sepultamento. Eu lhes asseguro que, onde quer que este evangelho for anunciado, em todo o mundo, também o que ela fez será contado, em sua memória" (Mateus 26:6-13). Em vez de julgá-la, Jesus viu seu coração e proclamou sua beleza, dignidade e propósito. Ao fazer isso, ele afirmou seu valor e lhe concedeu um legado de *valor eterno*. Essa mulher viveu 2 mil anos atrás, mas o mundo continua a falar sobre ela.

Semelhantemente, Maria Madalena, uma mulher que Jesus tinha libertado de sete demônios, foi a primeira pessoa a ser apresentada ao Cristo ressurreto. Antes de encontrar Jesus, Maria estava esmagada por confusão e dor, mas ele viu além de sua enfermidade e a considerou digna de seu toque curador.

Ela o seguiu, apoiando os discípulos com seus próprios recursos desde a Galileia até a cruz e o túmulo em que ele foi sepultado. Quando o Cristo ressurreto a viu, ele a chamou por seu nome: "Maria", e a instruiu a anunciar aos discípulos a sua ressurreição, concedendo-lhe assim a honra de se tornar a primeira porta-voz do evangelho. Jesus pode tomar uma mulher possuída por demônios e torná-la famosa por sua cura, seu testemunho e revelação (João 20:17,18).

Se, como mostram as estatísticas, sete de dez mulheres no mundo foram abusadas por homens, cabe aos homens curá-las. Cura só será possível quando os homens revelarem sua grandeza com palavras curadoras. Tenho visto muitas mulheres libertas de sua mediocridade e de ferimentos pelas palavras afirmadoras de seus maridos. Os maridos literalmente liberaram sua grandeza. Por outro lado, tenho visto mulheres altamente talentosas pisoteadas até perderem a capacidade de manifestar sua importância. Era como se estivessem estampadas em sua testa palavras que diziam: "Eu costumava ser importante... até que meu marido me dominou". Homens, se vocês não promoverem a grandeza de sua esposa, o diabo garantirá o fracasso dela e também o seu.

## Encontrando grandeza na mediocridade

Você está disposto a encontrar grandeza na mediocridade, diamantes no carvão e transformadores do mundo em homens e mulheres danificados? Você consegue encontrar valor em pessoas que outros veem como comuns? Se você estiver disposto, Deus pode usar você para liberar todo o potencial das pessoas. Não existe chamado maior!

Eu tenho visto muitas pessoas que continuamente rebaixam os outros. "Você jamais será bem-sucedido"; "Você simplesmente não foi feito para fazer coisas grandes"; "Você não tem o necessário para ir à faculdade"; "Você jamais será reconhecido". Essas pessoas de fala negativa jamais encontrarão diamantes ou detectarão pepitas de ouro em pessoas. Tudo que veem é sujeira. Que vergonha! No entanto, elas têm a capacidade de pegar uma espátula, como todos nós, e revirar a sujeira que revela joias escondidas.

A lista de "Você nunca" é infinita. O que os pais estão pensando quando amaldiçoam seus próprios filhos dizendo que eles nunca conseguirão algo? "Você não é esperto, talentoso, bonito o bastante". A quem os pais estão tentando enganar? Se eles foram feitos à imagem de Deus, não existe limite para o que seus alunos, filhos e discípulos podem fazer, especialmente quando você os encoraja.

O livro *The Jewish Phenomenon*, de Steven Silbiger, cita a mãe judia que apresentava seus dois filhos não com seus nomes, mas com sua futura profissão: "O médico tem três anos de idade", a mãe disse, "e o advogado tem dois anos". Não tenho dúvida de que essas duas crianças cumpriram as palavras de sua mãe. Não importa se elas realmente se tornaram um médico ou um advogado, mas elas sabiam, através das palavras de sua mãe, que não tinham limites.

Silbiger conta que, apesar de os judeus totalizarem apenas 2% da população dos Estados Unidos, eles representam:

- 45% dos 40 norte-americanos mais ricos na lista da Forbes 400.
- Um terço dos multimilionários.
- 20% dos professores nas melhores universidades.

- 40% dos sócios nas maiores firmas de advocacia em Nova York e Washington, D.C.
- 25% de todos os vencedores norte-americanos do Prêmio Nobel.

Precisamos nos perguntar por quê. É por que eles têm uma mãe que os apresenta como "médicos" aos três anos de idade e como "advogados" aos dois anos de idade e um pai que ensina seus filhos e filhas a não se contentarem com menos do que o melhor?

Dois mil anos atrás, o fazedor de discípulos judeu nos deixou um exemplo ao qual deveríamos seguir. Se você acredita nas pessoas, elas desdobrarão todo o seu potencial. Se você quer que as pessoas se tornem grandes, precisa reconhecer sua grandeza de antemão, caso contrário elas nunca a alcançarão. Você precisa afirmá-las.

Você não precisa ser um gênio para ver o que Billy Graham se tornou e declará-lo bem-sucedido. Mas, em 1949, em Los Angeles, ele era um evangelista atribulado que tinha pregado durante três semanas numa grande tenda sem qualquer sucesso visível. Um magnata no mundo midiático chamado William Randolph Hearst escreveu um memorando de duas palavras para a sua equipe: "Puff Graham", o que significava: promovam-no na imprensa. O resto é história. Mais de 3 milhões de pessoas têm aceito o convite de Graham para aceitar a Jesus como seu Salvador, e mais de 2,2 bilhões de pessoas o ouviram pregar no mundo inteiro.

Tenho certeza de que William Randolph Hearst não fazia ideia de como sua simples ordem mudaria o mundo. Os dois homens nunca se conheceram, mas tenho certeza de que parte do sucesso de Billy Graham precisa ser atribuído a Hearst. Com uma simples afirmação, aquele garoto da região rural de Charlotte, na Carolina do Norte, abalou o mundo com a mensagem de Jesus Cristo. Até mesmo Billy Graham precisou de alguém que acreditou nele.

Deixe-me citar um exemplo oposto. A Wikipédia registra a triste história do príncipe Eduardo VIII, que serviu como rei da Inglaterra por menos de um ano quando renunciou ao trono em 1936 para se casar com uma mulher norte-americana. Talvez sua monarquia sucinta possa ser explicada pela falta de afirmação por parte de seu pai, o rei Jorge V. "Quando eu morrer", Jorge disse, "o garoto se arruinará dentro de 12 meses" — e foi exatamente o que aconteceu. Era culpa do pai, ou será que o príncipe Eduardo foi uma vítima de suas escolhas ruins? Obviamente, cada um é responsável por suas decisões, mas a falta de afirmação por parte dos pais pode ter efeitos devastadores sobre o futuro de seus filhos. Sem o apoio dos pais, é fácil desistir.

Graças a Deus, meus pais nunca profetizaram sobre mim. A predição do rei Jorge V se realizou, mas não precisava ter sido assim. Ele poderia ter visto ouro em seu filho, preparando-o para o sucesso. Segundo o DNA do príncipe Eduardo, ele deveria ter feito coisas grandes, mas seu pai destruiu essa semente.

Recentemente, Devi e eu assistimos a um filme, *Eu, Tonya*, que retrata a infância trágica de uma das maiores patinadoras do mundo. Por alguma razão, eu não percebi a classificação para adultos do filme, caso contrário, Devi e eu não o teríamos assistido. No entanto, o que me entristeceu não foram tanto os muitos palavrões, mas a pergunta: O que Tonya poderia ter sido se não tivesse sido menosprezada por sua mãe e pelos homens durante toda a sua vida? É um milagre ela ter vencido qualquer competição. Meu coração sofre por todas as Tonyas e todos os Eduardos do mundo.

Segue uma última ilustração para transmitir o poder de reconhecer grandeza nas pessoas. Vários anos atrás, um jovem começou a frequentar a nossa igreja porque se interessava por uma das nossas moças. Ele era realmente especial, realmente extraordinário. Certo dia, eu lhe disse:

— Obviamente, você é extraordinário. Você deve ter pais maravilhosos.

— Pelo contrário — ele respondeu. — Minha mãe morreu quando eu era novo. Meu pai era emocionalmente instável e foi internado numa instituição mental pouco tempo após a morte da minha mãe. Minhas duas irmãs foram levadas embora, e todos nós fomos colocados em lares adotivos. Foi onde eu cresci.

— Como você se tornou tão extraordinário? — perguntei.

— Eu tinha um técnico de futebol que acreditava em mim. Era tudo que eu precisava. Ele reconheceu meu potencial. Por ele ter acreditado em mim, eu decidi que conseguiria realizar qualquer coisa.

E conseguiu. Aos 20 e poucos anos ele já era bacharel, estava trabalhando em seu mestrado e tinha o brevê de piloto. Além do mais, estava prestes a se casar com uma linda mulher da nossa igreja, e com a minha bênção.

Uma afirmação. Uma palavra de encorajamento. Um técnico que acreditou nele e que compartilhou com ele a sua fé.

Técnicos, professores, líderes, pastores, pais: vocês têm uma oportunidade incrível de reconhecer e liberar potencial nas pessoas. Lembrem-se apenas de que o ouro está sempre escondido na sujeira.

Recentemente, fui a um cabelereiro ao qual não tenho costume de ir. Sua primeira pergunta foi a de sempre:

— Então, qual é a sua profissão?

— Sou garimpeiro — respondi.

Ele ficou chocado e não soube o que dizer — eu certamente não me parecia com o garimpeiro típico. Expliquei:

— Eu garimpo ouro nas pessoas.

Ele é minha nova mina, e seu solo é rico em potencial.

Precisamos liderar de modo diferente. Em vez de gastar toda a sua energia com a promoção de si mesmo, procure a reserva de ouro escondida nas outras pessoas, e promova-a.

O chavão do velho faroeste retratado em tantos filmes do gênero era: "Há ouro naquelas colinas". Como cristãos, podemos parafrasear isso e dizer: "Há ouro naquelas pessoas". Então, líderes, arregacem as mangas e comecem a cavar.

CAPÍTULO **6**

# Lidere
## delegando
## autoridade

*A autoridade precisa ser
compartilhada ou ela se
torna ditatorial.*

**Larry Titus**

A autoridade é fascinante e poderosa. Ela pode ser usada para causar miséria e destruição horríveis ou para gerar abundância, esperança e prosperidade.

O *Merriam Webster's Dictionary* define autoridade como "um poder de influenciar ou governar pensamento, opinião ou conduta". Pode se referir também a uma pessoa ou governo em comando.

A autoridade pode ser usada de modo destrutivo ou construtivo. Dependendo de quem detém a autoridade e de como essa pessoa a aplica, as pessoas podem curar e florescer ou murchar e morrer. É simples assim.

O poder ilumina o coração de quem o detém. Minha tese é a de que você não conhece uma pessoa de verdade antes de lhe dar autoridade ou dinheiro. Já que dinheiro pode ser usado como fonte de poder, posso abreviar ainda mais a minha definição: você não conhece uma pessoa de verdade antes de lhe dar *autoridade*. Ponto final.

É impossível calcular a enorme destruição de vidas e de propriedades no mundo desde que o homem começou a controlar as pessoas através de autoridade. Enquanto escrevo este capítulo, estou lendo o livro *Killing Patton*, de Bill O'Reilly e Martin Dugard. O livro narra a história de milhões de pessoas cujas vidas foram apagadas por apenas dois homens loucos motivados pelo poder, Adolf Hitler e Joseph Stalin. Se a essa lista acrescentarmos os nomes de ditadores do pós-guerra, Pol Pot, do Camboja, Mao Zedong, da China, e Ho Chi Minh, do Vietnã, os números de mortes aumentam exponencialmente. Todos eles tinham uma coisa em comum: usaram a autoridade para matar, destruir, oprimir, manipular e aniquilar seus inimigos.

Desde os registros mais antigos, a história humana está repleta de crônicas aterrorizadoras de déspotas que, na verdade, nada mais eram do que assassinos em massa. Esses registros demonstram claramente que os humanos são capazes de abusar do poder para matar outros.

Examine a história da África no último século, ou da América do Sul, ou da Ásia. Veja se consegue encontrar um líder benevolente que decidiu construir sua nação em vez de encher seus próprios bolsos. São raros. Esses líderes alcançaram poder e o usaram das piores maneiras imagináveis. Quantos governos benevolentes você consegue encontrar no mundo árabe, no qual o poder está nas mãos de poucos? Você consegue citar um líder comunista que não tenha eliminado sistematicamente a maioria de seus inimigos e, em alguns casos, milhões de seu próprio povo? A essa lista podemos acrescentar papas, presidentes, reis, líderes de cultos, líderes denominacionais, generais, líderes corporativos, administradores de escolas e um exército de outros líderes que, talvez não na mesma medida, usaram o poder para esmagar a oposição.

Cada culto se apoia num abuso de autoridade. Em novembro de 1978, Jim Jones levou quase mil pessoas à morte em Jonestown, na Guiana, usando sua personalidade dinâmica para inspirar e supostamente libertar e depois oprimir e matar aqueles que o seguiam. O mesmo vale para muitos, talvez para a maioria dos líderes déspotas no planeta inteiro. Quem se beneficiou de seus decretos ditatoriais? Apenas suas famílias e seus amigos ou aliados mais próximos acumularam algo desse lucro podre.

Falando nisso, existem muitas maneiras de matar pessoas além de colocar cianeto no ponche. Você pode oprimir um povo durante décadas e matá-lo aos poucos, como a morte por mil cortes, em vez de assassiná-lo imediatamente. Pobreza e falta de esperança matam de forma tão certeira quanto uma AK-47 ou um gás venenoso.

Cada governo maligno se apoia na autoridade negativa de seu líder. Hitler, Stalin, Pol Pot ou Mao Zedong usaram o poder para esmagar o coração do povo e aterrorizá-lo com atos atrozes de tortura e morte. Meu cérebro não consegue imaginar a profundeza do mal manifestado por tantos líderes que cometeram as atrocidades do holocausto liderados por Hitler, quando as vidas de 6 milhões de judeus foram apagadas.

Na Antiguidade, líderes inescrupulosos destruíram centenas de milhares de pessoas só por terem autoridade para fazê-lo. Átila, o huno, se parece com um professor de escola dominical comparado a outros líderes maus desde a Antiguidade até os tempos atuais.

Na era bíblica, Saulo perseguiu Davi pelo deserto durante anos, abusando de sua autoridade sobre ele. Sempre é assim. Líderes pequenos, grandes apenas aos seus próprios olhos, tentam suprimir líderes emergentes com grande potencial. Dê a uma pessoa um pouquinho de autoridade e, se ela tiver "caráter pequeno", imediatamente vai reprimir aqueles que considera uma ameaça ao seu poder.

Eu acabo de voltar da minha visita anual à prisão estadual da Pensilvânia. Lá vi um guarda que, com o pouquinho de autoridade que possui, se deleita em humilhar os prisioneiros e tornar suas vidas miseráveis.

Testemunhei a mesma coisa em filas de segurança de aeroportos: nelas, pessoas pequenas têm muita autoridade. Muitas vezes, a única maneira que conhecem de exercer sua autoridade é ameaçar e intimidar rudemente as pessoas. Como sociedade, faríamos bem em analisar uma pessoa antes de lhe dar um distintivo e uma arma.

O culpado por trás dessa invenção maliciosa é o próprio Satanás. Após ser derrubado de sua posição celestial e despido de sua autoridade angelical, ele encontrou uma ferramenta altamente útil para controlar o mundo: a autoridade déspota.

Satanás tentou Jesus com o aliciamento da autoridade em Lucas 4.

> O diabo o levou a um lugar alto e mostrou-lhe num relance todos os reinos do mundo. E lhe disse: "Eu lhe darei toda a autoridade sobre eles e todo o seu esplendor, porque me foram dados e posso dá-los a quem eu quiser. Então, se você me adorar, tudo será seu". (Lucas 4:5-7)

Creio que este é o mantra de todos os líderes maus: "Então, se você me adorar, tudo será seu". Mas não acredite que eles realmente estão lhe dando poder. O propósito da trama é aumentar o poder deles sobre *você*. Observe que a promessa do comunismo de dar igualdade a todos os trabalhadores do mundo rapidamente se transformou nas ditaduras mais despóticas que o mundo já conheceu.

Você acha que Jesus realmente acreditou que Satanás faria o que disse? Pessoas más não delegam autoridade a ninguém, exceto àqueles que têm a mesma capacidade de abusar e controlar as pessoas com essa ferramenta.

Tenho visto multidões de líderes que exercem autoridade de maneira humilhante, debilitante e opressora, e poucos que a usam para edificar as pessoas. Você sabe que Satanás adora manipular e enganar toda a humanidade para que ela odeie autoridade? Quando líderes maus ou inseguros exercem sua autoridade, aqueles que eles governam começam a odiar a autoridade. Assim começa um ciclo. A aplicação de autoridade despótica é ressentida e resistida. À medida que mais dessa autoridade negativa é exercida pelo líder, as pessoas reagem com níveis cada vez mais altos de inimizade e ressentimento.

Duas vezes, em 2Coríntios, Paulo afirma que a autoridade lhe foi dada por uma única razão: para edificar as pessoas. "Pois mesmo que eu tenha me orgulhado um pouco mais da autoridade que o Senhor nos deu, não me envergonho disso, pois essa autoridade é para edificá-los, e não para destruí-los" (2Coríntios 10:8).

E ele repete em 2Coríntios 13:10: "Por isso escrevo estas coisas estando ausente, para que, quando eu for, não precise ser rigoroso no uso da autoridade que o Senhor me deu para edificá-los, e não para destruí-los".

Toda autoridade santa é dada com o propósito de edificar as pessoas! Ao ensinar-lhes os conceitos do discipulado eficiente, você verá que o uso de autoridade deve ser benéfico à pessoa que você está acompanhando. No microcosmo de instruir ou discipular uma pessoa, você está usando a autoridade da mesma

Lidere delegando autoridade | **119**

maneira que a usaria no macrocosmo de governar um grupo de pessoas, uma região ou um país.

> Eu tenho seguido uma regra básica em todo o meu ministério: se uma pessoa *deseja* autoridade, não dê a ela.

Quando uma autoridade santa é exercida sobre o país, valas secas se enchem de águas cristalinas e as pessoas se enchem de vida nova, esperança e vigor. A autoridade precisa ser usada para construir e edificar, não para derrubar e demolir. Assim que a autoridade se torna opressiva e ditatorial, ela se torna má. Quando a autoridade não é usada para edificar pessoas, ela deixa de ser santa.

Após deixar o ministério pastoral em 2002 e Devi e eu fundarmos o Kingdom Global Ministries, eu escrevi os estatutos para que não incluíssem qualquer forma de liderança autoritária. Por quê? Porque eu errei no passado e isso nunca resultou na produção de pessoas saudáveis. Se você gosta de ser controlado e governado, não vai querer fazer parte do nosso ministério.

# Autoridade é necessária

Se a autoridade pode ser tão mortal, por que precisamos dela? Porque sem uma autoridade verdadeira e santa você não consegue realizar nada grande e substancial. Contudo, é necessário que seja o tipo de autoridade que não controla, mas que liberta as pessoas.

| Autoridade santa | Abuso de poder |
| --- | --- |
| Liberta as pessoas para cumprirem seu destino | Destrói iniciativas |
| Promove pessoas | Rebaixa as pessoas |
| É libertadora | Subjuga as pessoas e as escraviza |
| Traz prosperidade | Traz pobreza |
| Encoraja as pessoas a serem elas mesmas | Remove a identidade das pessoas e as obriga a se adequarem a regulamentos extremos |
| Produz paz | Produz medo |
| Promove justiça | Promove pecado e degradação |
| Solidifica o grupo | Destrói o grupo |
| Permite que as pessoas fracassem | Pune as pessoas quando elas fracassam |
| Encoraja a abertura | Promove secretismo |

## Indizível abuso de autoridade

Segundo a Wikipédia, durante a Guerra do Iraque, que começou em março de 2003, o exército norte-americano e a CIA cometeram uma série de violações dos direitos humanos contra os detentos na prisão de Abu Ghraib, 30 milhas ao oeste de Bagdá. Essas violações incluíam abuso físico e sexual, tortura, estupro, sodomia e homicídio. Imagens daquilo que os soldados faziam com os prisioneiros vieram a público e eventualmente resultaram na detenção de 17 soldados e oficiais e na condenação de 11 deles.

As imagens de como os responsáveis humilharam, torturaram, sodomizaram, despiram, obrigaram homens a terem relações sexuais na frente deles e até se gabaram da morte de um prisioneiro são repugnantes. Na verdade, são mais repugnantes do que eu descrevi aqui. As imagens mostram em detalhe o que os humanos são capazes de fazer a outros seres humanos quando recebem autoridade irrestrita.

Antes de Abu Ghraib ser usada como uma prisão para homens presos durante a ocupação militar do Iraque pelos Estados Unidos, o local era uma prisão para 50 mil detentos durante o reino ditatorial de Saddam Hussein. Tenho certeza de que as atrocidades cometidas durante o regime de Hussein fariam as violações norte-americanas parecerem ingênuas em comparação. Mas não estou comparando. Estou mostrando que, em ambos os casos, no mesmo local, pessoas com certa medida de autoridade a usaram para destruir, e não para edificar os detentos.

A autoridade pode ser destrutiva ou construtiva nas mãos do líder. Quando usada para o mal, ela leva a horrores inimagináveis.

## Jesus, o delegador

Na sala superior, na noite da ressurreição, Jesus saudou os discípulos com as palavras: "Assim como o Pai me enviou, eu os envio" (João 20:21). Nas Escrituras, não existe demonstração mais clara do uso correto de autoridade. Alguém com autoridade, neste caso o Pai, delegou essa autoridade a Jesus, e Jesus a delegou aos seus discípulos. Assim, você pode ver que existe certa genealogia ou sucessão espiritual na concessão da autoridade verdadeira. Líderes santos a repassam para a próxima geração de líderes espiritualmente aptos, assim como Jesus fez com seus discípulos.

O relacionamento essencial e incondicional que Jesus tinha com seus discípulos lhes permitiu crescer como homens que podiam receber essa autoridade. Jesus consentiu que esses homens caminhassem com ele durante um período relativamente curto de três anos e meio. Eles se tornaram homens capazes de receber e de exercer sua autoridade. Jesus esculpiu e moldou esses homens como pessoas capazes de suportar o peso da autoridade que ele lhes deu. E, pertinente ao tema deste livro, ele nos deixou as técnicas e os métodos de seu discipulado e ensino.

É por isso que Pedro e João se sentiram à vontade para dizer ao homem paralítico que eles não tinham prata nem ouro, mas que tinham a autoridade, o nome de Jesus. Jesus lhes deu a autoridade de usar seu nome, por isso, decidiram experimentá-la. Em medida semelhante, Deus nos dá a liberdade de delegar autoridade santa.

As últimas palavras de Jesus antes de subir aos céus foram: "Foi-me dada toda a autoridade no céu e na terra" (Mateus 28:18-29).

Lidere delegando autoridade | **123**

Após dizer essas palavras, Jesus deu aos discípulos sua autoridade plena, a começar por "Vão e façam discípulos...".

Se Jesus não tivesse delegado sua autoridade aos discípulos, todo o propósito de sua vida na terra teria falhado e seu ministério teria sido interrompido. Se um líder não delega sua autoridade a outros, sua obra irá parar quando ele morrer ou, em muitos casos, enquanto ele ainda estiver vivo. Era necessário que o Autor da nossa salvação capacitasse seus discípulos para continuarem sua obra. O propósito redentor da cruz teria parado com a ascensão de Jesus se ele não tivesse preparado seus sucessores para receber e liberar sua autoridade.

Como o evangelho seria a "Boa-nova" se ninguém tivesse recebido autoridade para compartilhá-lo? Que tipo de líder Jesus teria sido se ninguém o tivesse seguido ou se nenhum líder futuro tivesse sido capaz de receber e carregar a sua luz? Se apenas Jesus fosse capaz de curar os enfermos, de expulsar demônios ou de ressuscitar os mortos, como o mundo poderia ser alcançado após a sua partida? Essa é a razão pela qual ele designou primeiro os 12, depois os 70 e, finalmente, os 120 para continuar sua obra (veja Mateus 10; Lucas 10; Atos 1:8).

## Jesus, uma boa cabeça

Jesus era uma boa "cabeça". "Cabeças" boas delegam sua autoridade ao corpo e nunca fazem todo o trabalho sozinhas. Por melhor que um líder possa ser em organizar, planejar e administrar, não existe nada que ele possa fazer sem as mãos, as pernas, os pés e os órgãos internos para executar o plano. Se os membros do corpo não recebem autoridade para fazer a obra do ministério, eles ficam frustrados ou, no pior dos casos, paralisados.

Repetirei uma convicção que já expressei. Tenho certeza de que muitos líderes administram cada detalhe porque temem perder sua autoridade, seu poder e reconhecimento. Ouvi muitos pastores dizerem que a razão pela qual não querem grupos pequenos é a probabilidade de, nesse cenário, alguém adquirir muita autoridade. Não acredito que Jesus temia isso. Um pastor que se agarra à sua autoridade pode ser considerado também um homem espiritualmente perigoso.

Bons líderes sempre delegam; sempre dão autoridade aos seus discípulos. No entanto, temos muitos líderes que jamais delegam autoridade a outros. Eles são o início e o fim de seu ministério. Eles são homens "alfa e ômega" autonomeados; líderes que não têm linhagem, não têm discípulos, não têm "enviados" para continuar sua obra. São "cabeças" sem "corpo". Quando sua liderança termina, tudo termina. A única coisa que resta após sua partida é um enorme vácuo de liderança, que Satanás está pronto para preencher.

## Uma coisa assustadora

Delegar assusta. Como você pode saber que seus discípulos farão as coisas como você? Você não tem como saber. Como você pode saber que é possível confiar naqueles que treinou? Você não pode saber. Como você pode saber que sua autoridade não será usada contra você quando você sair? Mesma resposta. Como você pode saber se seu ministério crescerá e não diminuirá após sua saída? Como você pode saber que seus discípulos permanecerão leais? A resposta é

Lidere delegando autoridade | **125**

sempre a mesma. Você precisa confiar em Jesus, o Cabeça da igreja, em tudo e confiar autoridade a outros. Você precisa delegar autoridade, caso contrário você não passará de um espetáculo solitário sem possibilidade de cumprir a grande comissão. Assim, ou você delega ou você tem um ministério que não vai para frente. Quando você morrer, tudo que você fez também morrerá.

Recentemente, Devi e eu falamos em duas igrejas diferentes na mesma cidade no Brasil, no mesmo fim de semana. Uma era saudável e, a outra, extremamente fraca, à beira da morte. A igreja saudável tinha cultivado dezenas de grandes líderes, incluindo a esposa do pastor, sua filha, seu filho, seu genro e uma equipe de pastores; até mesmo o filho mais novo do pastor já estava pregando nas ruas da cidade. Se algo acontecesse a ele, havia uma longa fila de líderes qualificados e talentosos para ocupar sua posição.

A outra igreja, por sua vez, tinha perdido seu líder dinâmico, unilateral, evangelístico e inspirador pouco tempo atrás. Ele tinha muitos seguidores, um grande prédio e muitas facilidades lindas. Infelizmente, ele nunca tinha delegado autoridade a outros. Ninguém sabia o que ele fazia. Ninguém tinha sido treinado como sucessor. Ninguém tinha acesso às informações que só ele conhecia. Ele era um Abraão sem um Isaque. Não havia posterioridade para continuar seu legado, exceto sua esposa idosa que lutava para sustentar o impulso, mas aquilo não estava funcionando. O prédio enorme estava vazio. Eu tive a impressão de que as poucas dezenas de pessoas que foram àquele culto estavam ali para nos ouvir e desapareceriam assim que partíssemos. É difícil lembrar como as coisas costumavam ser. Mas é isso que acontece quando as pessoas não delegam.

O marido, como cabeça de sua esposa, tem as mesmas responsabilidades, como qualquer outro líder. A fim de ter uma família e um casamento saudáveis, ele precisa delegar, precisa entregar sua autoridade à esposa e à família. Ao fazer isso, verá sua esposa florescer. Seus filhos andarão erguidos, encorajados pela fé e confiança dadas a eles.

A maior alegria na vida é ver sua esposa e seus filhos libertos completamente para se tornarem o que são em Cristo. Mas eles não podem ser libertos a não ser que você lhes dê autoridade. Pais saudáveis não têm medo de ceder sua autoridade à família. Para que autoridade seja saudável, ela precisa ser compartilhada, e isso deve começar na família.

Falando em pais, você já viu um homem assistindo a um jogo de baseball em que seu filho estava jogando? Você já viu como o filho olha para o pai antes de pegar o taco? O pai se deleita com o jogo do filho, e o filho se prepara para rebater animado pela fé e pelo encorajamento do pai. O Pai nos mostra como um líder deve se sentir — com um coração alegrado por seus discípulos enquanto ele os liberta para seu ministério e sua visão.

Delegar e transferir autoridade não é apenas uma questão de genealogia e continuidade de liderança. Se você não delegar, nunca terá a recompensa maravilhosa de ver seus seguidores libertos plenamente em seu chamado e dando seu melhor. Nada me satisfaz mais do que ouvir meus filhos espirituais dizerem: "Meu pai é aquele que me treinou e liberou". Lembre-se, a única maneira de não ser uma cabeça grande com um corpo pequeno é delegar, dando glória a Deus e honra à sua posteridade. Os bebês, com sua cabeça grande, são muito fofos. No entanto, se a cabeça continuasse a crescer no mesmo ritmo que o corpo, logo ela se transformaria numa monstruosidade.

Lidere delegando autoridade | **127**

O tamanho da cabeça permanece praticamente o mesmo, mas o corpo continua a crescer para se conformar ao tamanho da cabeça. Líderes, concentrem-se no cultivo e no crescimento do seu corpo, do seu povo, da sua congregação, da sua família.

Transferir ou delegar autoridade aos outros não significa que eu não continue a manter e exercer autoridade. Sem autoridade, não se consegue fazer nada. Mas precisamos encontrar maneiras de mudar nosso estilo de liderança para que ela continue a liberar e não a oprimir as pessoas. Não quero que as pessoas que eu lidero se agachem sob a minha autoridade, quero que elas sejam capacitadas e ousadas. Quero que elas realizem sua visão.

Anos atrás, tornei-me pastor de uma congregação em Amarillo, no Texas. Após apenas um ano, o Senhor me disse o que deveria fazer. Sua diretriz foi bastante direta. Eu estava sentado em meu carro, esperando um amigo para o almoço, quando ouvi o Senhor dizer claramente:

— Você não é o pastor.

Eu não pude acreditar no que estava ouvindo.

— Eu não sou o pastor? Se eu não sou o pastor, quem é?

— Jimmy Evans — respondeu o Senhor.

Jimmy era um membro fiel da nossa igreja. Ele passava seus dias trabalhando na empresa de seu pai. Era um líder de um dos grupos domésticos e sempre estava precisando de mais cadeiras. Ele atraía as pessoas. Seus dons de ensino eram evidentes. A sabedoria jorrava dele como um rio.

Eu chamei Jimmy para o meu escritório e lhe disse o que o Senhor tinha me dito, sem saber que menos de 18 meses mais tarde eu renunciaria e entregaria a liderança da igreja a ele.

Eu sabia que Jimmy e sua esposa Karen tinham muitos dons, mas eu não fazia ideia do tamanho real de seus dons.

Através de Jimmy e Tom Lane, seu assistente executivo, a igreja passou de algumas centenas para milhares de membros, aparentemente em uma questão de dias. Ao mesmo tempo, o ensinamento de Jimmy sobre casamento e família começou a alcançar centenas de milhares de pessoas. Hoje, por meio da televisão e de conferências, eles realizam *milhões* de casamentos, com um público televisivo semanal de mais de 100 milhões de pessoas. A Trinity Fellowship of Churches, sob a liderança de Jimmy, tem acolhido dezenas de igrejas. É difícil exercer o poder de delegar e, assim, liberar ministérios individuais e expandir o corpo de Cristo em escala global.

Quero deixar claro que não tenho mérito algum naquilo que Deus tem feito através desse maravilhoso casal ungido. Pelo que sei, a única coisa que fiz foi delegar autoridade a Jimmy e lhe dar a oportunidade de liderar. Os resultados se devem totalmente a Jimmy e ao Espírito Santo nele.

Mas esse não é o fim da história. Jimmy Evans e Tom Lane enviaram o pastor Robert Morris para iniciar um ministério em Dallas/Fort Worth, na região do Texas. Em 2000, o pastor Morris estabeleceu a Gateway Church em Southlake, no Texas, que agora ministra semanalmente a mais de 30 mil pessoas. O pastor Morris se tornou um dos líderes de maior influência na nação.

Isso é delegar. Como é doce e saboroso o fruto de uma transferência santa de autoridade.

Mas nem isso é o fim da história. A Gateway Church, por meio do treinamento de Robert Morris, continua a criar ministérios por toda a nação e no mundo. Isso também é delegar! Líderes que confiam em seus dons não precisam oprimir os dons dos outros. Autoridade, como tudo que Deus nos deu, deve ser compartilhada.

Lidere delegando autoridade | **129**

Jamais tema os resultados de delegar autoridade. Jamais tema o produto de dar autoridade a outros. Você pode entregar tudo a Deus. Nenhum de nós é dono daqueles que lideramos. Só podemos liderá-los por nosso exemplo. Você tem muito a ganhar e pouco a perder se liderar da maneira de Deus, delegando sua autoridade a homens e mulheres capacitados com paixão e visão.

Quando usamos a autoridade para oprimir pessoas, entramos na longa fila de ditadores maus. Quando usamos a autoridade para libertar pessoas para o seu chamado, entramos na linhagem de Jesus Cristo.

Oro para que você encontre maneiras de delegar autoridade a outros. É a única forma de garantir que sua autoridade permaneça pura e alcance gerações futuras. Você observará com deleite os frutos daqueles que você instruiu e liberou. Você ecoará o Pai que abriu os céus quando Jesus foi batizado e dirá com orgulho: estes são meus filhos e eu me agrado neles. Se você delegar e libertar outros, decidirá seu próprio legado. E você será um daqueles líderes raros que lideram de maneira diferente.

CAPÍTULO **7**

# Lidere

## com amor
## incondicional

*Descobri o paradoxo de que, se
você amar até doer, já não existe
mais dor, apenas mais amor.*

**Madre Teresa**

Ouvi essa história em várias versões diferentes, mas esta é a que ouvi primeiro: anos atrás, quando trens eram um meio de transporte mais comum, um comerciante estava correndo para pegar um trem para a cidade de Nova York. Em sua pressa, esbarrou na estante de um garoto vendedor ambulante. Ele se chocou com tanta força que toda a mercadoria se espalhou pela plataforma. O garoto olhou triste para a confusão causada. No ar que cheirava a diesel, o homem viu que seu trem estava prestes a partir. Ele teve de tomar uma decisão rápida.

O homem suspirou e se abaixou para consolar o garoto e recolher a mercadoria, sabendo que perderia seu compromisso.

O garoto olhou para o comerciante e perguntou: "O senhor é Jesus?".

O que fez o garoto lembrar-se de Jesus? Era o terno do homem, sua aparência perfeita ou a mala que trazia consigo? Não, era o amor do estranho que considerou o bem-estar do garoto como mais importante do que suas exigências profissionais.

> O amor sempre diz:
> "Você é mais
> importante".

## Um amor incessante

O que o homem fez era uma amostra minúscula daquilo que Jesus fazia diariamente: colocar os interesses das pessoas acima dos seus próprios. Para ele, pecadores eram mais importantes do que santos; afirmação era mais importante do que crítica; cura era mais importante do que condenação. Para Jesus, o homem comum era mais importante do que o líder religioso. Carinhosamente ele abraçava os desprivilegiados, em detrimento dos influentes e famosos.

Ele tocou leprosos desfigurados, apesar de isso o tornar impuro e o proibi-lo de entrar no templo. Ele permitiu ser tocado pela mulher com o fluxo de sangue, tornando-o impuro segundo as leis judaicas, fazendo-o contaminado e intocável. Quando ela recuou dele, Jesus a procurou na multidão e a chamou de sua "filha".

Em vez de ignorar as pessoas que a cultura rejeita, Jesus foi *atrás delas*, convidando-as para que olhassem em seus olhos e recebessem um amor que edifica.

Comer com pecadores e coletores de impostos era abominável para os zelotes religiosos, mas não era um problema para Jesus. Talvez sua maior gafe, aos olhos dos zelotes, foi sua conversa pública com uma mulher samaritana, a menor das menores, considerada indigna por causa de sua descendência. Pela lei judaica, conversar com ela tornava Jesus impuro.

Aparentemente, quando amor era exigido, Jesus ignorava o que era socialmente aceitável.

Se os hipócritas judeus tivessem ouvido a conversa entre Jesus e a mulher samaritana, teriam ficado aterrorizados. Lá, junto ao antigo poço de Jacó, Jesus contou a essa mulher desdenhada com amantes múltiplos os seus segredos mais íntimos. Antes de a maioria dos outros descobrir, foi revelado à mulher samaritana que Jesus era o Messias dos judeus tão esperado. Como água viva vindo diretamente daquele poço, Jesus derramou seu amor sobre ela. Em vez de condená-la, ele lhe confiou sua verdade mais preciosa.

Cada página da revelação de Jesus Cristo no evangelho foi escrita com a tinta vermelha do seu amor. Página após página conta a história de seu amor ardente e persistente pelos discípulos, de seu amor vasto e panorâmico pelas multidões e de seu amor autêntico e inequívoco pelos pisoteados.

Em vez de evitar a proximidade dos possuídos por demônios e dos adúlteros, Jesus demonstrou um amor incessante que libertava e curava. O que poderia ser mais apaixonado do que seu amor pelas crianças expresso nos capítulos 18, 19 e 21 de Mateus, e seu amor supremo pelo Pai, expresso 120 vezes no evangelho de João? Tenho certeza de que ninguém consegue amar outra pessoa profundamente se não conhecer o amor do Pai de modo expansivo. O Pai é a fonte de todo amor, a fonte da qual jorram todos os rios de amor.

## O início do amor

Evidentemente, o relacionamento de amor de Jesus com o Pai começou antes da criação do mundo e se estende de eternidade a eternidade (João 17:1,2,5,24,26; Apocalipse 13:8). É claro que nada expressa o amor de Jesus pelo Pai melhor do que a crucificação. Se entregar a própria vida por um amigo é a maior expressão de amor terreno (João 15:13), então o amor que levou Jesus à cruz desafia qualquer descrição. Perdemos qualquer medida quando tentamos descrever a profundeza, a amplitude, a altura do amor de Jesus pelo Pai expressado na cruz.

O prelúdio a essa agonia é descrito no jardim do Getsêmani, quando grandes gotas de sangue e suor saem dos poros de Jesus e caem no chão: "Pai, se queres, afasta de mim este cálice; contudo, não seja feita a minha vontade, mas a tua" (Lucas 22:42). Alguma vez você já testemunhou tamanho amor? Alguma vez você se envolveu com um Salvador desse tipo? Tristeza deve ter envolvido seu coração, e lágrimas encheram seus olhos quando ele se afastou do lugar de sua angústia e encontrou seus discípulos adormecidos. A carne tem limites, mas o amor não.

Após três anos e meio de caminhada entre a humanidade, Jesus finalmente carregou sua cruz pelos pecados do mundo até o monte chamado Gólgota. Jamais o universo tinha visto um ato de amor de tal magnitude. Nós cristãos precisamos voltar sempre para esse sacrifício e nos maravilhar diante dele. Quando ofereceu a dádiva de sua vida, Jesus o fez sem segundas intenções. Ele manifestou seu amor ao ser açoitado, ao vestir a coroa de espinhos, e ao entregar seus pés e suas mãos às amarras brutais. O amor de Cristo foi persistente e incessante, e formulou suas últimas palavras de perdão ao morrer em agonia. Na cruz, ouvimos seu amor até mesmo ao entregar os cuidados de sua mãe ao seu discípulo João.

Se a maior demonstração de amor, segundo Jesus em João 15:13, era entregar sua vida por um amigo, Jesus foi muito além disso. Ele entregou sua vida pelos piores dos pecadores, pelos fracassados e hipócritas arrogantes — e quem morreria por eles? Se você quiser saber até quais profundezas o amor se estendeu, Jesus desceu até o Hades e destruiu o poder da morte (Apocalipse 1:17; Hebreus 2:14). No outro extremo, quando ele surgiu do túmulo, levou consigo para o paraíso todos os justos do Antigo Testamento, incluindo o homem que tinha sido crucificado com ele (Lucas 23:43; Efésios 4:8). Esse é o longo alcance do amor.

Romanos 8:35,37-39 diz tudo:

> Quem nos separará do amor de Cristo? Será tribulação, ou angústia, ou perseguição, ou fome, ou nudez, ou perigo, ou espada? Mas, em todas estas coisas somos mais que vencedores, por meio daquele que nos amou. Pois estou convencido de que nem morte nem vida, nem anjos nem demônios, nem o presente nem o futuro, nem quaisquer poderes, nem altura nem profundidade, nem qualquer outra coisa na criação será capaz de nos separar do amor de Deus que está em Cristo Jesus, nosso Senhor.

Em Salmos 103:12, o salmista descreve o amor do Messias como tão vasto e amplo quanto o Oriente está do Ocidente. Graças a Deus não existem polos leste e oeste onde meus pecados possam ser encontrados. Esse amor é mais profundo do que o mais fundo inferno e tão mais alto que os altos céus.

Lidere com amor incondicional | **139**

## A tinta do amor

No início do século 20, um trabalhador e compositor cristão chamado Frederick Lehman escreveu um hino sobre o amor de Deus. O refrão desse grande hino diz:

Ó amor de Deus, quão rico e puro!
Sem medida e forte!
Por toda eternidade ele receberá
O louvor dos anjos e dos santos.

Originalmente, o hino continha apenas duas estrofes. No entanto, ao pensar numa terceira estrofe, Lehman lembrou que um amigo lhe tinha dado um pedaço sujo de papel com um verso escrito à mão décadas antes na parede de uma instituição mental. Um paciente anônimo tinha escrito esse verso, muito provavelmente lembrando as palavras originais cunhadas mais de 2 mil anos antes pelo rabino judeu Meir Ben Isaac Nehoria, de Worms, na Alemanha.

Jamais saberemos como esse verso percorreu o caminho do rabino até o paciente anônimo numa instituição mental e o bilhete entregue a Frank Lehman. Mas sei que o amor tem o poder de transcender gerações e continentes para chegar até aqui e ser registrado neste livro. Jamais encontrei uma descrição melhor do amor de Deus.

Se pudéssemos encher o oceano de tinta
E se os céus fossem feitos de pergaminho,
Se cada galho na terra fosse uma pena
E cada homem um escriba,
Para escrever do amor de Deus

Secaríamos o oceano.

E o rolo celestial não conseguiria contê-lo todo/Mesmo que se estendesse de céu a céu.

Tente absorver a verdade dessas palavras.

Provavelmente por eu tê-lo atravessado tantas vezes em meus voos de 15 horas para a Austrália, lembro-me imediatamente do Oceano Pacífico. A parte mais funda do Pacífico é a Fossa das Marianas, com uma profundidade de mais de 11 mil metros. Esse magnífico corpo de água possui uma superfície de 161,8 milhões de quilômetros quadrados. Sua maior largura é de quase 20 mil quilômetros, estendendo-se desde a Indonésia até a Colômbia. Nosso compositor rabino e paciente pedem que imaginemos como seria se tentássemos sondar o amor insondável de Deus.

Tentemos imaginar por um momento o que o autor está dizendo.

Se pudéssemos encher o Pacífico de tinta, isso equivaleria a aproximadamente 710 milhões de quilômetros cúbicos de líquido negro pigmentado. Isso é muita tinta. Agora imagine que todos os talos de trigo fossem penas, canetas ou algum outro instrumento de escrita, e que cada pessoa que vive na terra fosse escriba.

Agora estamos prontos para escrever a mensagem do amor de Deus. Mas o que poderia servir como material de escrita para tamanha tarefa herculana? Nossos poetas sugerem que olhemos para os céus em busca do nosso pergaminho. Em vez de vermos a imensidão do céu manchada de vários tipos de nuvens, nós a imaginamos como um rolo infinito de pergaminho.

Os 7 bilhões de habitantes da terra pegam suas penas e escrevem o amor de Deus na imensidão de pergaminho celestial.

Mas surge um enigma. Se fôssemos escrever o amor de Deus na imensidão celestial, isso ressecaria os oceanos, e os céus não conseguiriam conter o comprimento do rolo.

Se uma única gota do amor de Deus tocasse nossos lábios, ela nos purificaria de crítica, divisão, ódio, fofoca, desdém, julgamento, preconceito, mentira, desigualdade, raiva e todas as formas de violência e abuso.

## Líderes e amor

Eu alego que o amor é a maior força no mundo. Nenhum líder pode liderar de modo eficiente sem ele. O amor é a coisa intangível mais palpável que conheço. Você pode não conseguir tocá-lo, mas pode senti-lo instantaneamente. Você pode sentir quando ele está presente. Você pode mergulhar nele e desfrutar seu calor. Você consegue sentir sua segurança e aceitação. A ausência de amor fere.

A maior necessidade no mundo não é educação, não são empregos, não é domínio militar ou estabilidade climática, não é boa administração, igualdade de sexos, intervenção em prol dos refugiados, nem mesmo paz. A maior necessidade no mundo é de amor. O amor consegue adaptar sua forma para preencher qualquer vácuo. Até mesmo o medo evapora quando você está cheio de amor. Se tiver bastante amor, você não tem necessidades.

A Bíblia nos diz em Mateus 22:37-39 que devemos amar a Deus acima de todas as coisas e ao próximo como a nós mesmos. No entanto, como é possível amar outra pessoa quando não conseguimos amar a nós mesmos? Tudo começa com seu amor por Deus. Sem esse amor ilimitado e total por Deus, você jamais conseguirá amar a si mesmo ou ao seu próximo. Amar os outros nos ajuda a amar a nós mesmos. Eu não amo a mim mesmo primeiro: eu amo a Deus primeiro e aos outros em segundo lugar, como Deus ordena; em troca, o amor próprio é resultado natural.

O ódio próprio parece ser onipresente. Para aqueles que vêm de contextos religiosos, pode até parecer algo espiritual. Em meus muitos anos de ministério, conheci um número muito maior de pessoas que estavam profundamente insatisfeitas consigo mesmas do que pessoas com uma autoestima saudável. Se Deus o fez à sua imagem, considero ser muito mais importante valorizar a si mesmo do que desdenhar quem você é. Se você é a imagem e semelhança exata de Deus (Gênesis 1:26,27), não vejo por que não se aceitaria como Deus o fez.

A palavra hebraica para "bom" é *tov*. Quando Deus criou todos os elementos da criação, ele os avaliou e considerou *tov*. Mas, quando criou o homem, Deus disse que ele era *tov*, *tov*, "bom, bom". Eu espero que você entenda quão *tov*, *tov* você é. Um Deus *bom*, *bom* criou um você *bom*, *bom*.

Para ir um passo além, não consigo me lembrar de uma única pessoa que tenho encontrado que valorizou os outros, especialmente os mais próximos dela, se ela não via nenhum valor em si mesma. Sem um senso de amor próprio, como você pode dar amor aos outros? É claro, tudo isso é resultado de amar primeiro a Deus com todo seu coração, sua mente e sua alma.

Eu sei do que estou falando: cresci com uma autoestima muito baixa, que se expressava em falta de concentração, timidez e total egocentrismo. Uma autoestima baixa faz com que a pessoa seja mais absorvida pelo ego do que em comparação com uma pessoa com imagem própria saudável. Eu também tendia a alterações de humor, morosidade e introspecção doentia, e tudo isso me alienava das pessoas que eu queria amar.

## Ódio por si mesmo não é espiritual

Após passar por mais de quatro anos de depressão, posso lhe dizer sem qualquer dúvida que o egocentrismo é mortal. É um milagre que qualquer pessoa tenha ficado do meu lado. O único tema, pelo menos na minha própria cabeça, era: "Como *eu* me sinto?". Tudo girava em torno de mim. "Eu" era meu único foco. Foi apenas quando comecei a reconhecer algum valor em mim mesmo que fui capaz de quebrar o jugo insuportável da depressão.

Reconhecer valor em si mesmo não é ser narcisista, arrogante ou presunçoso. Significa ver a si mesmo como Deus o vê: como pessoa de valor. Ironicamente, falsa humildade, depreciação e autoflagelação nunca produzem amor por outros, mas sim presunção, o oposto do amor. Isso é pseudo-humildade, a antítese de quebrantamento.

Se tivéssemos experimentado amor sem reservas dos nossos pais, talvez teríamos vislumbrado o quanto Deus, o Pai, nos ama. Mas para a maioria de nós isso não era uma opção. Tenho certeza de que o amor de Deus expresso em Jesus Cristo é o fundamento de todo relacionamento amoroso verdadeiro. Não podemos nem amar verdadeiramente a nós mesmos, a nosso esposo ou a qualquer outra pessoa se não sentirmos como é grande o amor do Pai por nós. Se conseguirmos entender isso, todo o resto se encaixará.

Quando você começa a ver a si mesmo como Deus o vê, descobrirá todo um mundo novo de amor pelos outros. Quando troquei minha baixa autoestima por um senso de valor em Jesus, o amor começou a fluir como um rio. Agora, eu amo todos. Amo estranhos; amo a família; amo inimigos; amo pessoas que vejo na TV; amo pessoas que encontro no aeroporto. Raramente passa um dia em que eu não ore por estranhos completos que vejo ou encontro nas ruas. Não consigo explicar a profundeza do amor que tenho pelas pessoas. E esse amor teve início quando eu comecei a ver a mim mesmo como Deus me vê, como pessoa imperfeita, mas valiosa e amada.

Reconhecer valor em si mesmo não é egocêntrico, mas teocêntrico. Se você não concorda com a opinião que Deus tem de você, existe apenas outra opção, que é concordar com o Acusador dos irmãos, o próprio Satanás. Já que o diabo é um mentiroso e o pai das mentiras, eu sugiro que você não se agarre a ele ou à opinião que ele tem de você.

Jack Deere, um dos meus autores favoritos, publicou recentemente um livro intitulado *Even In Our Darkness* [Até mesmo em nossa escuridão], pela editora Zondervan. No livro, Deere conta a história de como seu professor favorito no seminário, o Dr. Waltke, lhe deu a tarefa de encontrar o significado da preposição "para" na primeira linha de Salmos 139:17,18:

> Como são preciosos *para* mim os teus pensamentos, ó Deus!
> Como é grande a soma deles!
> Se eu os contasse seriam mais do que os grãos de areia.
> Se terminasse de contá-los, eu ainda estaria contigo.

Cito Jack na página 118 do seu livro: "Em inglês, a palavra *to* [para] pode ser usada de, pelo menos, vinte maneiras diferentes, e estas podem ser resumidas num único parágrafo. Mas o léxico hebraico padrão dedica mais de oito páginas grandes com duas colunas e letra miúda à preposição. Existem centenas de maneiras de usá-la".

Após passar horas lendo todos os exemplos relevantes no léxico, eu tinha certeza de que a tradução tradicional de "para mim" no versículo 17 estava errada.

O versículo deveria ser traduzido assim:

> Como são preciosos os teus pensamentos *sobre mim*, ó Deus!
> Como é grande a soma deles!
> Se eu os contasse seriam mais do que os grãos de areia.
> Se terminasse de contá-los, eu ainda estaria contigo.

Uma preposição mudou todo o significado desses dois versículos. Os pensamentos de Deus sobre mim são mais numerosos do que os grãos de areia na terra. O estudo dos diversos usos da preposição *para* tinha revelado outra dimensão de profundeza sobre o amor ilimitado de Deus por mim.

Parei tudo quando li essa declaração de Jack Deere. O amor de Deus por mim é maior do que o número de grãos de areia na terra. Inimaginável. Insondável. Incompreensível. Incontável. A pergunta é: Como meu amor pelos outros se compara com o amor do meu Pai?

## Amor é quem Deus é

O amor em suas muitas formas é, muitas vezes, inexplicável. Às vezes, ele pode ser detectado pelos sentidos humanos. Você consegue sentir quando ele está presente, e você sabe quando ele está ausente. As pessoas conseguem ver de longe como ele irradia de você. As crianças o percebem

**146** | Liderando como Jesus

imediatamente. Criminosos endurecidos começam a chorar quando alguém dá a entender que os ama. Até mesmo animais sabem se você os ama.

O amor não é apenas um aspecto da natureza de Deus, é a soma total de quem ele é. 1João 4:16 é sucinto: "Deus é amor". É como um diamante com muitas facetas, e cada uma revela outro aspecto do amor de Deus. Deus é tão amoroso que ele ama até aqueles que não o amam, incluindo os que nunca o amarão. Não se esqueça de que ele é a fonte do amor, o disseminador de amor e, em Jesus, a encarnação do amor. A vontade de Deus é que toda a humanidade seja recipiente de amor, reflexo de sua imagem.

Visto que o amor é refletor, ele pode ser encontrado por toda parte. Irradiando do coração do próprio Deus, não existe lugar, por mais remoto que seja, que não esteja, neste exato momento, revelando o coração de Deus por meio da expressão de amor. Músicas estão sendo cantadas, bebês estão sendo acariciados, soldados estão chorando a morte de um camarada ou de uma vítima inocente, pais estão abraçando filhos pródigos, feridas estão sendo tratadas, relacionamentos estão sendo restaurados, letristas estão escrevendo músicas, comidas e roupas estão sendo distribuídas, equipes de resgate estão arriscando suas vidas salvando pessoas e o romance está no ar. Lágrimas, sorrisos, abraços, generosidade e alegria revelam o amor de Deus.

A maioria de nós não consegue entender amor irrestrito. Por quê? Porque nunca o experimentamos! A maioria das pessoas recebe expressões insuficientes de amor quando ganha um jogo, recebe notas boas, é bonita ou se sobressai em algo. Se o amor precisa ser merecido, então amor merecido não é amor de Deus. O amor de Deus é um presente. Um prêmio de amor conquistado por bons atos é um amor falso. Não é

Lidere com amor incondicional | **147**

o amor de Deus. É apenas e nada mais que uma recompensa por boas obras.

Um grupo ainda maior de pessoas nem recebe a oportunidade de receber amor restrito, pois essas pessoas não são amadas desde o início. Pais inseguros, ausentes ou disfuncionais garantiram que seus filhos não recebessem nem um módico de amor, nem mesmo um amor que precisou ser conquistado. Excluídos desde o início, não desfrutaram nem mesmo de amor por mérito.

No Brasil, uma adolescente nos contou sobre o dia em que sua mãe, sentada à mesa à sua frente, disse: "Você é tão feia que não quero ver seu rosto nunca mais". A adolescente saiu de casa e nunca mais voltou. Não consigo imaginar qualquer pai ou mãe fazendo um comentário tão cruel sobre seu filho. Pessoas assim não entendem a beleza do amor de Deus que se expressou por meio de pastores em sua cidade que a levaram para a igreja, a apresentaram a Jesus, a contrataram e eventualmente a nomearam líder de adoração. Ódio e intolerância expulsam as pessoas, mas o amor as atrai.

## A língua grega e o amor

Existem três palavras gregas principais para "amor": *eros*, *phileo* e *agape*. Apenas uma é usada para definir o amor de Deus. É a palavra *agape* (αγάπη em grego, *agape* transliterado do latim, ágape em português). *Eros* expressa amor sexual e sensual e não é mencionado na Bíblia. *Phileo* descreve o amor entre amigos — um tipo de amor não sexual e platônico.

Quando Jesus questionou o amor de Pedro por ele após a ressurreição, Pedro não foi capaz de responder ao amor ágape. Em duas ocasiões, Jesus perguntou: "Simão, filho de João, você me ama [*agape*]?". A resposta de Pedro nas duas ocasiões foi com troca da palavra *agape* pela palavra *phileo*. "Sim, Senhor, tu sabes que eu te amo [*phileo*]". Poderíamos traduzir isso como: "Sim, Senhor, eu gosto de ti".

Então, Jesus trocou as palavras gregas: "Pedro, você me *phileo*?". Então Pedro pôde responder de forma afirmativa: "Sim, Senhor, eu te amo como um amigo" (João 21:15-19).

Tenho certeza de que Pedro estava sendo totalmente honesto. Muito provavelmente, seu senso de vergonha por ter negado Jesus no pátio não permitia que o discípulo se elevasse ao nível do amor *agape*, o amor de Deus. Obviamente, as coisas mudaram. Foi Pedro, aquele que lutava com sentimentos de vergonha, culpa e indignidade, que cunhou as palavras: "Sobretudo, amem-se (*agape*) sinceramente uns aos outros, porque o amor perdoa muitíssimos pecados" (1Pedro 4:8). Quem melhor que Pedro saberia o tipo de amor capaz de perdoar uma multidão de pecados?

Se o amor de Deus foi capaz de restaurar Pedro, ele pode restaurar qualquer um.

Após décadas de serviço leal a Jesus, a tradição conta que, em 64 d.C., Pedro pediu aos seus carrascos que fosse crucificado de cabeça para baixo, pois ele era indigno de ser crucificado da mesma forma que Jesus. Amor, disse Jesus, é estar disposto a entregar sua vida por um amigo. Quando o amor está disposto a morrer por um amigo, ele se transforma em amor ágape (João 15:13).

## Amor incondicional

Ágape delineia e identifica o amor incondicional de Deus. É um presente não merecido enviado especificamente a você.

Você não tem como merecê-lo e você não tem como perdê-lo. É um presente embrulhado na plenitude do compromisso eterno de Deus. Você não recebeu esse presente por algo que fez; é um presente eterno de Deus para você e que jamais pode ser revogado. Mas, como uma caixa de presentes, você precisa aceitá-lo e abri-lo para experimentar seu impacto sobre sua vida. O amor de Deus por você não é fastidioso ou inconstante, e seu amor também não muda por causa de circunstâncias.

O amor ágape não faz exigências à pessoa amada. Ele diz simplesmente: "Você não precisa fazer nada para que eu ame você". Não há segundas intenções.

O amor ágape não queima pontes. E Deus também não abandona pessoas quando elas não o agradam ou o decepcionam. É assim que você deve expressar seu amor como mentor, professor e fazedor de discípulos. Seu amor deve ser consistente, inabalável e inequívoco. Sua intenção deve ser que nada possa remover seu amor eterno por alguém.

Algumas pessoas queimaram tantas pontes, tantos relacionamentos, que pouco resta sobre o qual elas possam construir um futuro amoroso. Essas pessoas se ofendem com tanta facilidade que levam seus fósforos e querosene para onde quer que vão. Qualquer deslize ou ofensa resulta em fogo, e seu relacionamento se transforma em cinzas. Resolver problemas relacionais com fósforos é fácil e definitivo, mas uma oportunidade de uma vida de amor se dissolve em fumaça.

Minha sogra é o exemplo perfeito de amor incondicional. Ao seu bisneto, que tinha roubado dela dinheiro, cartões de crédito e até mesmo sua picape, ela respondeu: "Existem duas coisas que você jamais conseguirá: irritar-me e fazer com que eu deixe de amá-lo". Isso é amor incondicional.

Os evangelhos nos mostram que Deus espera que ajamos como seu Filho ao viver na terra. Se aquilo que sou e faço manifesta amor, apenas então eu me pareço com Jesus. Minha liderança é um reflexo da liderança de Jesus quando eu decido personificar ou replicar sua vida.

## Amor ágape

Seguem cinco características do amor de Deus:

Em primeiro lugar, o amor ágape de Deus é *incondicional*. Um amor condicional ou temporário não é o amor de Deus. Não existe meio-termo aqui. O tipo de amor que diz "Se você fizer isso ou aquilo, eu amarei você" não existe nos evangelhos. "Se você vier para a minha igreja, eu amarei você". "Se você tirar uma nota boa na prova, eu amarei você". "Se você fizer do meu jeito, eu amarei você". "Se você vencer o jogo, eu amarei você". Essas são declarações condicionais de amor. Amor condicional não é o amor ágape que flui do coração de Deus. Amor verdadeiro, o amor de Deus, dá, mas não espera nada em troca. Não existe "se" no amor. Se o amor é condicional, ele se desqualifica.

Em segundo lugar, o amor ágape é totalmente *altruísta*. Ele sempre diz: "Você primeiro". "Você é mais importante". "Eu prefiro você". Não surpreende que os pecadores amassem Jesus. Diferentemente dos fariseus, ele não exigia que se tornassem ritualmente bons ou puros antes de amá-los. Ele os amava do jeito que eram. Eles o seguiam durante dias apenas para tocar a borda de suas roupas. Pecadores derramavam perfume sobre seus pés porque se sentiam amados e aceitos; eles subiam em árvores só para vê-lo; eles o convidavam para irem às suas casas

Lidere com amor incondicional | **151**

e comerem com ele. Seu amor era tão efusivo e poderoso que jorrava como a nascente de um rio, e eles só queriam tocá-lo.

Em terceiro lugar, o amor se recusa a guardar mágoas. Ele oferece perdão gratuito. Ele não mantém um registro de erros. Amor, expressado nas últimas palavras de Jesus — "Pai, perdoa-lhes, pois não sabem o que estão fazendo" (Lucas 23:34) — deveria ser nossa primeira palavra. Não existe amor maior que uma pessoa pode demonstrar do que dar sua vida por um amigo. Mas morrer por pecadores? "Mas Deus demonstra seu amor por nós: Cristo morreu em nosso favor quando ainda éramos pecadores" (Romanos 5:8). Nesse versículo existe um princípio que, apesar de escondido, é poderoso em sua verdade e potencial redentor: é quase tão difícil perdoar alguém quanto é morrer por ele. Perdão é essencial na aplicação do amor ágape.

Em quarto lugar, amor é uma *escolha*. Se você acha que amor é uma emoção ou um sentimento que vai e vem, jamais entenderá o amor de Deus! Sua própria vida será instável! Eu escolho e decido amar as pessoas. Eu amo as pessoas tanto que, às vezes, chega a doer. O amor ágape é uma ação, não um sentimento. Eu saio pré-configurado da fábrica criativa de Deus para amar as pessoas. O amor está na minha natureza, porque está na natureza do Pai celestial. Qualquer outra coisa não vem de Deus, o Pai.

Em quinto lugar, o amor não tem qualquer impacto se você não acreditar nele. O amor de Deus por você é maior do que qualquer coisa que consiga compreender, mas você não pode recebê-lo se não acreditar nele. Tampouco seu esposo, sua família ou seus amigos podem receber seu amor se não acreditarem verdadeiramente que você os ama. Que revelação incrível. Falando nisso, quem me ensinou essas coisas foi a minha esposa, e eu *acredito* que ela me ama, por isso, recebo seu amor.

## Você é agente do amor de Deus

Como Deus expressa amor? É claro, ele sempre pode enviar anjos ou nos colocar em circunstâncias ou lugares em que o amor é demonstrado. Mas normalmente não é este o seu *modus operandi*. Na maioria das vezes, Deus envia uma *pessoa* que transmite seu amor, alguém que estende um amor tão incondicional e desmerecido que ele passa a ser como Deus. E você pode ser exatamente essa pessoa.

Se você quiser um exemplo de como o amor de Deus opera através de uma pessoa, leia o livro O *refúgio secreto*, de Corrie ten Boom. Quando você decide amar alguém, Deus age através de você em toda sua plenitude. No caso de Corrie, Deus a convenceu a amar o guarda do campo de concentração nazista que matou sua irmã. Eu ouvi Corrie dizer que, quando ela decidiu perdoar o assassino de sua irmã, foi como se eletricidade passasse por todo o seu corpo. Por meio do perdão, ela foi batizada em amor. Então Corrie se tornou uma agente do amor de Deus no mundo inteiro. Para onde quer que fosse, as pessoas eram transformadas pelo rio efusivo que jorrava dela.

No dia em que conheci Corrie e a ouvi falar em Munique, na Alemanha, em 1972, me senti literalmente batizado em amor. Quando ela falava, era como se um rio de amor me inundasse com a profundeza incompreensível do amor de Deus. Jamais esquecerei aquele momento. Naquele dia, decidi que eu também seria um agente do amor de Deus. É o meu objetivo, para onde quer que vá, que as pessoas que encontro experimentem o oceano do amor de Deus, um amor em que elas podem nadar e mergulhar.

Talvez seja cedo demais para encomendar o epitáfio que quero escrito em minha lápide, mas deixo registrado aqui.

Quero que esteja escrito: "Ele amava a Deus e ele amava as pessoas". Isso diz tudo.

## O amor faz

É fácil amar pessoas que amam você, mas é infinitamente mais difícil amar aqueles que não devolvem seu amor ou que se colocam maliciosamente contra você. Jesus continuou a amar os discípulos quando cada um deles o abandonou em seu momento mais escuro no jardim. Ele amou Pedro, que o negou três vezes durante seu interrogatório no pátio.

Amor pode ser expresso por meio de doações, serviço, expressões físicas e, acima de tudo, da morte por alguém que você ama. Em seu dia a dia, uma expressão poderosa de amor é falar palavras de afirmação. Tenho ouvido tantos homens dizerem que amam suas esposas, mas suas palavras são negadas pelo fato. Tenho ouvido mulheres criticarem seus maridos continuamente e então alegar que o amam. Não é o que parece. Como você pode amar alguém e falar com ou sobre ele com rancor e impaciência?

O amor é paciente, bondoso, não inveja, não se vangloria, não se orgulha, não maltrata, não procura seus interesses, não se ira facilmente, não guarda rancor, não se alegra com a injustiça, mas se alegra com a verdade. E Paulo está certo: é a única coisa que perdura eternamente (1Coríntios 13).

Se não amarmos as pessoas com amor ágape, não retratamos corretamente o coração do Pai, que se define com uma única palavra: "Deus é *amor*" (1João 4:16). Se as pessoas não se sentirem afirmadas e amadas por nós, então a nossa mensagem é vã. As pessoas sabem que você realmente as ama quando tentam encontrar alguma segunda intenção por trás do seu afeto e não encontram nenhuma.

Jesus deixou claro que o distintivo de um discípulo não é ir para a igreja ou dizer que você é um cristão. O distintivo do discípulo é o amor. "Com isso todos saberão que vocês são meus discípulos, se vocês se amarem uns aos outros" (João 13:35).

Se você deseja ser um líder, precisa colocar a si mesmo em um microscópio. Deve examinar tudo que o motiva a liderar e discipular. Se o amor o provoca e o inspira, e se o amor é seu motivador primário e subjacente, você será um grande líder. Sem amor, sua liderança será tão irritante quanto um sino que ressoa.

## Amor irrevogável

O maior presente de amor de Deus foi seu Filho Jesus, enviado para sofrer uma morte horrível para que pudéssemos experimentar a vida eterna. O versículo mais amado e mais citado no mundo diz tudo: "Porque Deus tanto amou o mundo que deu o seu Filho Unigênito, para que todo o que nele crer não pereça, mas tenha a vida eterna" (João 3:16). As cruzes que pendem graciosamente de colares e adornam tantos pescoços, as cruzes em milhares de torres de igrejas que se elevam sobre as cidades, as lápides de incontáveis milhões de pessoas, e até mesmo as tatuagens escuras em pele humana não são nada comparadas com a silhueta grotesca de uma árvore manchada de sangue em que pendia a vítima da justiça romana.

Se você quiser saber como é o amor de Deus expressado por meio de seu Filho, olhe para o calvário, para o Gólgota, o lugar do crânio. Através da neblina de 2 mil anos de história,

Lidere com amor incondicional | **155**

vemos um homem que amava até não sobrar mais vida em seu corpo. Com olhos inchados e lábios rachados, suas últimas palavras foram: "Pai, perdoa-lhes, pois não sabem o que estão fazendo" (Lucas 23:34). É a imagem mais lamentável e, ao mesmo tempo, mais nobre do amor. O amor nunca obteve uma vitória maior do que a morte do Filho sem pecado que morreu pelo homem pecaminoso. Se você quiser liderar de modo diferente, aprenda a liderar pelo amor.

CAPÍTULO 8

# Lidere
## contando
## histórias

*Se História fosse ensinada na
forma de histórias, ela jamais
seria esquecida.*

**Rudyard Kipling**

A maioria das pessoas que vai para a igreja sai do culto apertando mãos e socializando. Quando passam pela porta da frente, já se esqueceram do tema do sermão, e isso numa questão de 5 minutos. Cinco minutos! É o quanto dura uma música no rádio. Do que estamos falando aqui?

Jesus gastou 70% do seu tempo ensinando os discípulos ou as multidões usando parábolas para se comunicar. Em apenas 30% de seu tempo ele usou um estilo de preleção em seu ensino. Em outras palavras, ele esboçava imagens mentais por meio de parábolas para que as pessoas pudessem visualizar sua mensagem.

Professores que só fazem palestras sem esboçar imagens com suas palavras não só são esquecidos, mas também provocam um sono profundo nas pessoas num tempo relativamente curto. Os olhos, a imaginação e o coração do ouvinte precisam estar conectados aos ouvidos, caso contrário é provável que ele esqueça o que ouve. Se você quer que as pessoas se lembrem de sua mensagem, atice a imaginação delas com imagens mentais por meio de ilustrações, exemplos, experiências pessoais, testemunhos, parábolas e metáforas.

Lidere contando histórias | 159

Jesus escolheu a parábola como seu método principal para comunicar os princípios do Reino. Só em Mateus 13, por exemplo, há oito. Ele começava a maioria de suas ilustrações dizendo "O Reino dos céus é como" para, então, esboçar uma imagem mental que podia ser imaginada e lembrada.

"O Reino dos céus é como:

*... "um homem que semeou boa semente em seu campo" (Mateus 13:24)*
Você consegue visualizar um fazendeiro semeando em seu campo?

*... "um grão de mostarda" (Mateus 13:31)*
Você já viu como é pequena uma semente de mostarda? É melhor pegar uma lupa para conseguir vê-la.

*... "o fermento que uma mulher tomou e misturou com uma grande quantidade de farinha" (Mateus 13:33)*
Qualquer padeiro visualiza facilmente o efeito do fermento.

*... "um tesouro escondido no campo" (Mateus 13:44)*
Isso atiça a imaginação de qualquer garoto que sonha com piratas e tesouros escondidos.

*... "um negociante que procura pérolas preciosas" (Mateus 13:45)*
Antes da era de pérolas cultivadas, uma única pérola podia valer uma quantia enorme de dinheiro na Antiguidade.

> ... *"uma rede que é lançada ao mar" (Mateus 13:47)*
> Os pescadores sabiam exatamente a que
> Jesus estava se referindo.
>
> ... *"o dono de uma casa que tira do seu tesouro*
> *coisas novas e coisas velhas" (Mateus 13:52)*
> Eu adoro mostrar meus tesouros de arte quando
> as pessoas visitam minha casa. Algumas peças
> têm centenas de anos de idade. Duas páginas da
> primeira edição da Bíblia King James, impressa
> em 1611, sempre fascinam as pessoas que me
> visitam pela primeira vez.

Jesus ilustrava suas mensagens usando a natureza para descrever vividamente verdades eternas. Ele usava como imagens o solo, as tempestades, o trigo, as flores e o processo agrícola de semear e colher para que pudéssemos imaginar não só os conceitos do Reino, mas também suas ações.

Em suas observações finais do Sermão da Montanha, Jesus nos oferece uma ilustração pungente:

> Portanto, quem ouve estas minhas palavras e as pratica é como um homem prudente que construiu a sua casa sobre a rocha. Caiu a chuva, transbordaram os rios, sopraram os ventos e deram contra aquela casa, e ela não caiu, porque tinha seus alicerces na rocha. Mas quem ouve estas minhas palavras e não as pratica é como um insensato que construiu a sua casa sobre a areia. Caiu a chuva, transbordaram os rios, sopraram os ventos e deram contra aquela casa, e ela caiu. E foi grande a sua queda. (Mateus 7:24-27)

Como alguém que cresceu na Califórnia, eu me lembro vividamente das imagens de casas derrapando pelos lados de uma montanha e caindo no Pacífico apenas porque tinham sido construídas não sobre rochas, mas em solo instável que não resistia aos ventos e às ondas. Dois mil anos atrás, Jesus alertou o que aconteceria se construíssemos nossa casa em areia, e não em rocha. Isso vale ainda hoje.

Após dois milênios, quem consegue se esquecer da parábola do filho pródigo em Lucas 15?

Jesus também usa ilustrações para comunicar as verdades extraordinárias encontradas em seus últimos sermões. Em João 10, Jesus se define como o *Bom pastor* e como a *porta para o curral*. Ele ilustra nosso relacionamento dizendo: "As ovelhas conhecem minha voz". Ele também alerta contra a tentativa de obter acesso ao curral pulando a cerca. Ganhar acesso ao curral de outra forma senão pela porta faria de nós ladrões. Isso é uma advertência severa a qualquer um que tente evitar passar por Jesus, a única porta verdadeira.

Os minutos e segundos que Jesus precisou para descrever o cenário das ovelhas, do pastor e do curral fornecem imagens que evocarão para sempre o amor do Pastor pelas ovelhas e os perigos inerentes a uma vida como impostor.

Em João 15, Jesus se descreve como a vinha, seu Pai como fazendeiro e os cristãos como os ramos. Não creio que algum de nós precise de explicações adicionais quando ele descreve o processo de poda. É dolorosamente óbvio.

Quase dois terços dos evangelhos seriam eliminados se excluíssemos todas as imagens que Jesus usou para ilustrar suas mensagens. Os líderes fariam bem se seguissem o método de Jesus e usassem exemplos e anedotas em seu ensino e pregação. Não seria legal se as pessoas ainda lembrassem o que você disse quando você não estiver mais nesta terra?

Ainda hoje as pessoas usam ilustrações bíblicas para comunicar sua mensagem. No segundo discurso inaugural, Abraham Lincoln citou as famosas palavras de Jesus — "Se uma casa estiver dividida contra si mesma, também não poderá subsistir" — para ajudar seus ouvintes a imaginarem a devastação causada pela Guerra Civil se a nação se dividisse (Marcos 3:25). Lincoln era mestre em usar metáforas para comunicar sua mensagem, incluindo muitas imagens emprestadas das Escrituras.

Dr. Tony Campolo, famoso sociólogo e palestrante cristão, usou algumas das ilustrações mais memoráveis. Suas mensagens, apresentadas a multidões de jovens em concertos ao ar livre nos Estados Unidos, não eram apenas cativantes, mas profundamente impactantes a ponto de fazer com que milhares de jovens entregassem suas vidas a Jesus. Eu usei suas ilustrações dezenas de vezes, sempre dando o crédito a Tony. É incrível como, mesmo que as histórias sejam contadas centenas de vezes, elas ainda comunicam uma verdade importante que as torna eternas. Sua mensagem "É sexta-feira, mas o domingo está se aproximando" jamais será esquecida por aqueles que a ouviram.

O mesmo vale para o dr. Tony Evans, pastor da Oak Cliff Bible Fellowship em Dallas, no Texas, e inúmeros outros grandes palestrantes e pregadores. O que os torna verdadeiramente grandes são os exemplos visuais que inserem em suas mensagens e as tornam inesquecíveis. O dr. Evans é um teólogo e estudioso brilhante, com incríveis habilidades oratórias, mas o que torna suas mensagens extraordinárias são as histórias pungentes que ele inclui e que ajudam a tornar o sermão inesquecível.

Lidere contando histórias | 163

Outro Evans, Jimmy Evans, fundador da Marriage Today, é um dos meus palestrantes e pregadores favoritos de todos os tempos. Depois de Jesus e da esposa de Jimmy, acredito ser seu maior fã. Eu amo o Jimmy. O que torna o ensino dele tão poderoso é que, em cada conferência em que fala, ele usa a si mesmo e a sua esposa Karen como exemplos. Ouvi Jimmy falar ao longo de décadas e consigo contar sua história quase tão bem quanto ele. Suas histórias não são apenas bons exemplos daquilo que devemos ou não fazer, mas a imagem mental que Jimmy esboça fica gravada na nossa mente pelo resto da vida, continuando a dar frutos em nosso casamento. Isso é muito melhor do que ouvir um sermão que esquecemos com facilidade.

## Menos é mais

Minutos antes de o dr. Martin Luther King Jr. fazer seu famoso discurso de 17 minutos na Washington Mall em 1963, a famosa cantora gospel Mahalia Jackson o encorajou a esquecer suas páginas de anotações e compartilhar seu sonho com o povo. "Eu tenho um sonho" se tornou um dos discursos mais memoráveis já feitos na história da humanidade. Graças a Deus, Mahalia não o encorajou a apresentar três pontos sobre as necessidades sociais, raciais e espirituais do povo. Se ele tivesse feito isso, dentro de poucos minutos ninguém teria se lembrado daquilo que disse. Ninguém que esteve no evento ou ouviu o discurso desde então se esquecerá daquilo que Martin Luther King disse. Ele gravou nas nossas mentes a imagem de igualdade racial nos Estados Unidos e nos inspirou a **nutrir sonhos grandes** nesse sentido.

Vale observar também que o discurso de Martin Luther King durou apenas 17 minutos na marcha a Washington em 1963. Cem anos antes, em 1863, o discurso do presidente Abraham Lincoln na dedicação do Soldier's National Cemetery, em Gettysburg, na Pensilvânia, conhecido como "Discurso de Gettysburg", durou apenas alguns minutos. Naquela mesma ocasião, falou também o político Edward Everett, e seu discurso se arrastou por mais de duas horas. Você entendeu a mensagem? Quanto mais você fala, menos as pessoas se lembrarão. Quanto menos você fala, mais provável é que elas se lembrem tanto do discurso quanto de você. Em minha opinião, a maioria dos sermões e discursos é longa demais. Eu prefiro falar apenas poucos minutos e deixar as pessoas querendo ouvir mais do que falar demais e deixá-las com a lembrança de "Ai, isso foi doloroso".

## Uma imagem vale mais do que mil palavras

Em 1972, tive o privilégio de assistir a sessões de ensino da famosa humanitária e oradora Corrie ten Boom, a lendária sobrevivente do holocausto nazista. Ela e sua família foram acusadas de resgatar famílias judias das mãos de seus perseguidores nazistas. Corrie foi a única sobrevivente de sua família.

Eu estava sentado em frente à Corrie enquanto ela ensinava na pequena aldeia de Hurlach, perto de Munique, na Alemanha. Mil evangelistas do "Jovens com uma missão", incluindo 50 da minha igreja, estavam evangelizando as ruas de Munique durante as olimpíadas de verão. A cada dois dias, nos reuníamos atrás do castelo de Hurlach, sendo instruídos por Corrie e outros palestrantes famosos.

Certa manhã, Corrie falou sobre o plano de Deus para a nossa vida. Para ilustrar sua mensagem de que esse plano pode não fazer sentido em determinado momento, ela deixou claro que, se esperarmos o tempo de Deus, veremos seu propósito especial cumprido em nós.

No meio de sua fala, ela tirou uma moldura com um pequeno pedaço de tapete. Francamente, o tapete foi tecido de maneira patética. As cores não combinavam e não apresentavam nenhum padrão reconhecível. Ela descreveu nossa vida comparada a esse tapete: não faz sentido; as coisas acontecem conosco sem nenhuma razão aparente. Longos períodos de nada são raramente interrompidos por alguma circunstância que parece trazer um avanço à nossa situação. Meu pensamento imediato foi: "Corrie, você precisa continuar com seu trabalho, falando com as pessoas. Você é muito melhor fazendo isso do que tecendo tapetes".

Após vários minutos mostrando como Deus tem um plano específico para a nossa vida, Corrie virou o tapete. Agora tudo fazia sentido. Ela tinha nos mostrado o avesso. Não parecia haver padrão, nenhum plano aparente, nada que indicasse a existência de um tapete de qualidade — até ela o virar. Mensagens, sermões, orações, por mais profundos que sejam, não podem ser descritos plenamente se alguém não os "virar" com uma anedota ou ilustração visual.

Isso foi em 1972, e jamais me esqueci. E jamais me esquecerei. Minha vida teve todos os tipos de voltas, paradas, saltos, batidas, ferimentos, alegrias, decepções, medos e fracassos. Nem sempre as cores faziam sentido. Os fios entretecidos eram confusos. Deus colocou pessoas em minha vida e depois as tirou. Provações vieram. Eu lutei para encontrar um propósito na vida. Nem mesmo Deus fazia sentido. Nada fazia sentido. É apenas quando Deus termina o tapete que tudo fará sentido. Durante grande parte da minha vida tenho olhado para o lado errado do tapete. Enquanto isso, Deus conhecia o fim desde o início e tinha o meu propósito planejado com clareza cristalina.

Se você não criar imagens mentais para comunicar sua mensagem, ela se perderá, gastando tempo do palestrante e do público. Por que eu deveria consumir entre 30 e 45 minutos do tempo das pessoas apenas para que eles sejam esquecidos poucos minutos após elas saírem do santuário? No entanto, é isso que acontece regularmente no mundo inteiro a cada domingo. Se você não consegue pensar em ilustrações eficientes, o Antigo Testamento oferece uma abundância. Tente esboçar imagens com exemplos bíblicos. Eles funcionaram para os autores do Novo Testamento. E funcionarão também para você.

Após me formar no ensino médio, minha mãe e meu pai começaram a viajar como evangelistas itinerantes, pregando em igrejas nos Estados Unidos. Meu pai era um palestrante terrível, por isso tentávamos mantê-lo longe do púlpito o máximo possível para não o envergonhar. Contudo, o que lhe faltava em termos de habilidades retóricas ele recompensava com amor. Meu pai amava as pessoas com tanto fervor que, quase a cada dia, ele levava alguém ao Senhor. Quando morreu, a faixa sobre seu caixão dizia: "Senhor conquistador de almas". A pregadora era a minha mãe, e ela era realmente muito boa naquilo que fazia. Nos dias em que pregadoras eram desdenhadas, nunca faltavam igrejas em que minha mãe, por causa de sua unção incrível, podia pregar.

Minha mãe merecia no mínimo um diploma de mestrado, talvez até um de doutorado pelo uso de ilustrações que tornavam seus sermões inesquecíveis. As pessoas se lembravam deles por décadas. Quando preparava seus sermões, sempre procurava primeiro as ilustrações. Semelhante aos pastores afro-americanos ao longo da história, ela inspirava vida nas histórias do Antigo e do Novo Testamentos, depois as vinculava a verdades atuais e acrescentava ilustrações pessoais que completavam a imagem. Suas mensagens eram pungentes, poderosas e inesquecíveis. Ela não tinha três, cinco ou dez "pontos"; ela só tinha um único ponto, e sempre conseguia comunicá-lo: escolhia nosso interesse, mirava nos temas e nos deixava uma imagem mental e moral indelével de como Deus quer que vivamos.

Recentemente ouvi três de suas mensagens apresentadas em 1985 na Christian Assembly Church, em Peoria, Illinois. Eu nem sabia que existiam registros. Não sei se ainda estão disponíveis, mas eu as assisti no YouTube. Nós reunimos a equipe do nosso escritório e mostramos parte de uma de suas mensagens. Ouvi a equipe discutir durante dias a ilustração que ela deu da profecia de Joel e Miqueias, falando sobre como ela transformou sua "espada num arado" e como Deus transformou seu temperamento e sua língua, que eram uma espada de raiva destrutiva, em instrumentos de crescimento.

A ilustração falava sobre como ela e meu pai entravam em seu quarto de hotel após um culto e penduravam suas roupas. Nesse hotel em particular, havia apenas um pequeno armário, por isso eles usaram um gancho na porta para pendurar suas roupas. O único problema era que meu pai preferia pendurar seu manto no gancho sem usar um cabide, o que tornava impossível pendurar roupas adicionais no mesmo gancho.

Após pedir inúmeras vezes que meu pai não pendurasse seu manto diretamente no gancho, ela voltou certa noite e encontrou o manto pendurado novamente no gancho. Obviamente, meu pai achava mais conveniente fazê-lo daquela forma. Aquilo foi a última gota. Ela jogou o manto no chão. Quando meu pai entrou, ele pegou o manto e esboçou o comentário: "Ah, veja só, meu manto caiu no chão", ao que ela respondeu? "Não, querido, seu manto não caiu no chão, eu o joguei ali. E eu também pisei nele".

No meio da noite, minha mãe pediu perdão ao meu pai, fornecendo uma ilustração de como Deus deseja transformar nosso temperamento e língua de uma espada de destruição em um arado de produtividade. Quando a multidão riu do temperamento da minha mãe, entendeu a mensagem — não da espada, mas do arado.

Um pastor apresentou minha esposa Devi, dizendo: "Ela é a nora de Rachel Titus. Quantas pessoas se lembram do que Rachel Titus pregou 12 anos atrás?". Mãos se levantaram por todo o santuário. Doze anos atrás. Não consigo imaginar elogio maior do que, dez anos após a minha morte, uma pessoa se lembrar de uma mensagem que apresentei. Lembre-se: as pessoas costumam se lembrar de um sermão apenas por cinco minutos após o encerramento do culto. Isso significa que, muito provavelmente, ao saírem da igreja, elas já se esqueceram da mensagem... Mas 12 anos depois? Poderoso! Inesquecível.

## Sua história é sua maior ferramenta

Na faculdade, meu professor de oratória ensinou que jamais deveríamos usar ilustrações pessoais ou nos referir a nós mesmos num discurso. Em retrospectiva, esse foi, honestamente, o conselho mais idiota que já ouvi. Existe maneira melhor de ressaltar um ponto do que ilustrá-lo com algo de sua própria vida? Seu passado é um lembrete marcante, bom ou ruim, daquilo que você experimentou, e um exemplo visual para o seu público daquilo que deve ou não deve ser feito.

Quando Jesus falou com a mulher samaritana, usou a vida pessoal dela como ponto de entrada para sua mensagem: "Venham ver um homem que me disse tudo o que tenho feito", ela disse às pessoas depois da conversa (João 4:29). Qual foi o resultado? Toda a cidade saiu para ver Jesus, e muitos creram em seu nome. Eu diria que isso é uma mensagem eficaz.

Seu testemunho é uma ferramenta poderosa para apresentar as pessoas a Jesus de modo comovente, visual e, muitas vezes, emocional. Não tenha medo de usá-lo, ou de usar qualquer coisa que ajude a comunicar sua mensagem. Uma ilustração é um método poderoso, mesmo que a ilustração seja você. Afinal de contas, existe alguém que conheça melhor um tema do que a pessoa que o experimentou pessoalmente?

## Minha vida como ilustração

Em 1980, passei pela provação mais profunda da minha vida. Eu quase perdi tudo. Foi intensamente humilhante. Eu estava cheio de vergonha e remorso. Durante meses, não consegui dizer a ninguém o que eu tinha sofrido. Então, certo dia, ao falar sobre Filipenses 3:10 em uma igreja em Decatur, Illinois, ouvi o Espírito Santo dizer: "Ilustre este versículo com sua própria história". Eu fiquei paralisado de medo. "Você deve estar brincando. Não posso contar essa história para ninguém. É doloroso demais", pensei.

Vou lembrá-lo daquilo que Filipenses 3:10 diz: Paulo, dirigindo-se à igreja filipense, descreve a essência de sua paixão por Jesus e declara: "Quero conhecer a Cristo, ao poder da sua ressurreição e à participação em seus sofrimentos, tornando-me como ele em sua morte para, de alguma forma, alcançar a ressurreição dentre os mortos".

Para ilustrar esse versículo com minha própria vida, eu contei o que tinha acontecido comigo no inverno de 1980. Resumi minha dor, perseguição, morte para o orgulho e perda de quase tudo. Minha esposa e meus filhos estavam comigo, mas perdemos nossa casa, igreja, reputação e qualquer esperança de um futuro bem-sucedido. Para a minha surpresa, em vez de rejeitar a minha mensagem, a congregação começou a chorar. Horas de pregações e inúmeros pontos não teriam conseguido realizar o que poucos minutos de minha história pessoal alcançaram. Eu me tornei um ponto de cura não só para mim, mas também para a congregação.

A mesma coisa aconteceu vários anos depois na Nigéria, quando enfrentei um grupo hostil de pastores. Por causa de um conflito que os líderes estavam tendo com o pastor, metade gostava de mim e a outra metade já tinha decidido que não gostava de mim. Em vez de falar sobre os temas de conflito, decidi contar a minha história. Quando cheguei ao fim do meu testemunho, a tensão na sala tinha se diluído e meu coração tinha se fundido com o deles.

Cada um tem uma história. A Bíblia chama isso de testemunho. Se você não consegue encontrar nada mais para compartilhar, compartilhe o que Deus tem feito e está fazendo em sua vida. Apocalipse 12:11 diz que os santos perseguidos nos últimos dias venceram pelo sangue do Cordeiro e pela palavra de seu testemunho. Você não só alimentará a imaginação do seu público, mas lhe dirá que ele também pode vencer a provação.

Se você se conectar apenas com o intelecto das pessoas, e não com sua imaginação, elas se esquecerão daquilo que você

Lidere contando histórias | **171**

disse. O maior líder do mundo usou imagens para ilustrar sua mensagem.

Antes de pregar seu próximo sermão ou apresentar seu próximo discurso, sugiro que você reflita em oração sobre como pode estimular a imaginação dos ouvintes incluindo uma ilustração apreciável para que as pessoas jamais se esqueçam da mensagem que você está tentando transmitir. A fim de liderar de modo diferente, você precisa falar de modo diferente. A fim de falar de modo diferente, você deve usar ilustrações.

Bons líderes falam de modo diferente para fazer diferença.

CAPÍTULO 9

# Lidere
## esperando a hora certa

*Observe a justa medida,*
*pois o momento certo é,*
*em todas as coisas,*
*o fator mais importante.*

**Hesíodo**

Recentemente, Trina, minha filha, me contou uma história sobre uma conversa que ela teve vários anos atrás com seu filho Brandon durante um período muito difícil da vida dela:

— Brandon, por favor, ore e concorde comigo. Preciso desesperadamente de um progresso.

Ela estava tão cansada da provação pela qual estava passando que desejava que isso terminasse imediatamente. Ela queria que Brandon concordasse com a necessidade de um progresso em sua situação — e queria agora! A resposta de Brandon foi clássica:

— Mãe, você precisa orar por paciência.

Essa doeu.

Paciência é a capacidade de esperar pela hora de Deus antes de avançar com uma ação.

A Bíblia diz que Salomão foi o homem mais sábio na terra. Ele disse: "Para tudo há uma ocasião, e um tempo para cada propósito debaixo do céu" (Eclesiastes 3:1).

Salomão estava tentando nos dizer que a hora certa é tudo! A cronologia faz parte da essência de Deus, e nós vemos isso com maior clareza à medida que reconhecemos sua modulação

Lidere esperando a hora certa | **175**

do tempo em nossa vida. Na verdade, mesmo que algo seja a vontade de Deus, se não ocorrer no momento certo, o Pai não o sancionará. Assim, se insistirmos em fazer as coisas no nosso próprio tempo, as consequências podem ser catastróficas. A autenticidade de nossa liderança evapora, e perdemos a confiança que conquistamos.

O relógio da hora de Deus e da nossa hora não é igual. Se você precisar de um exemplo excelente da "hora de Deus" versus a "hora do homem", podemos voltar para a história de Abraão, o pai da nossa fé.

## Abraão não podia esperar

Quando Abraão tinha 75 anos de idade, Deus o chamou para sair de Ur dos caldeus. Em Gênesis 15, ele prometeu a Abraão que lhe daria um filho, apesar de sua esposa Sara ser estéril.

Não disposto a esperar por Isaque, o filho da promessa, Abraão cometeu um dos maiores erros da humanidade: ele gerou um filho com sua serva Hagar, ignorando completamente a promessa e a cronologia de Deus. Em sua tentativa de cumprir a vontade de Deus em seu próprio momento, ele criou um desastre que perdurou milênios.

Centenas de milhares de pessoas têm sido atingidas por um conflito que continua até hoje, e tudo isso só porque Abraão não quis esperar pela promessa de Deus. As nações árabes, descendentes de Ismael, têm se encontrado numa batalha constante com os filhos de Isaque, o povo judeu, por mais de 4 mil anos. Em tempos modernos, negociações de paz entre Israel e Palestina têm durado décadas, independentemente do número de nações, presidentes e diplomatas que tentaram intervir. É muito difícil — e talvez até impossível — reverter uma decisão apressada.

Finalmente, quando Abraão tinha 99 anos de idade, Deus confirmou sua promessa a ele. Quando tinha cem anos de idade e Sara estava com noventa, ela concebeu e deu à luz Isaque, o filho da promessa.

Quando há um intervalo de 25 anos entre o momento da promessa e a hora do cumprimento, nossa natureza tempestuosa e impaciente se levanta para dar uma mãozinha para Deus a fim de apressar o processo. Mas nunca vi Deus se mostrar cooperativo. Ninguém pode apressar Deus, nem mesmo Abraão. Ele tem um plano-mestre ao qual todos precisam se conformar, mesmo que possam ter recebido uma promessa, revelação ou palavra profética válida de sua parte.

## Na plenitude dos tempos

Jesus também sabia que Deus tinha escolhido um tempo para tudo e que Deus não pode ser apressado. Ele sabia também que, se ignorasse o tempo do Pai, ignoraria também a sua vontade. Foi na plenitude dos tempos que Deus enviou seu Filho (Gálatas 4:4). Tudo precisa estar sincronizado com a intenção do Pai e seguir o roteiro que ele escreveu.

Veja os seguintes eventos históricos magníficos e como Deus orquestrou seu fluxo preciso:

- Deus enviou o anjo Gabriel a Zacarias, pai de João Batista, seis meses antes do nascimento de Jesus, no dia e na hora exatos em que ele foi escolhido entre milhares de outros sacerdotes para queimar incenso no altar de ouro (Lucas 1:5-25).

- Seis meses após ter visitado Zacarias, o anjo Gabriel foi enviado novamente por Deus para informar à virgem Maria sobre o nascimento do Filho de Deus. O anúncio, ao ser feito por Maria a Isabel, provocou a reação profética no bebê João, que foi cheio pelo Espírito Santo no ventre de Isabel (Lucas 1:26-56).

- César Augusto, imperador romano, teve de decretar o censo na hora certa para que Maria e José voltassem de Nazaré à cidade de seus ancestrais, a fim de que Jesus nascesse em Belém, segundo a profecia bíblica em Miqueias 5:2.

- As estrelas tiveram de se alinhar perfeitamente para guiar os reis magos em sua longa viagem da Pérsia, chegando na hora exata do nascimento de Jesus (Mateus 2).

- A hospedaria teve de estar lotada para não permitir a acomodação de hóspedes adicionais, de modo que a família de José fosse forçada a se abrigar num estábulo, a preferência de Deus para a sala de parto. Fazia parte do plano de Deus que aquele nascido em realeza fosse colocado numa manjedoura (Lucas 2:7; 2Coríntios 8:9).

- O anúncio do nascimento de Jesus foi feito a pastores de Belém que estavam protegendo as ovelhas, eventualmente abatidas como sacrifício pelo pecado durante a Páscoa (Lucas 2:8-15).

- A Pax Romana, paz fornecida pelo Império Romano, garantiu o ambiente político para a propagação do evangelho no mundo conhecido.

- A língua grega era a língua franca e tornou o evangelho acessível a todas as pessoas, além de ser também a língua em que o Novo Testamento foi escrito.

- Jesus teve de nascer durante o reinado de Herodes, o Grande, que, temendo um usurpador de seu trono, decretou a morte de todos os meninos com menos de dois anos de idade. Assim, cumpriu-se a profecia de Raquel chorando inconsolavelmente por seus filhos (Jeremias 31:15).

- Jesus teve de ser levado para o Egito como criança para cumprir as Escrituras, pois profetizavam que o Messias sairia do Egito (Oseias 11:1; Mateus 2:13-15).

- A família de Jesus teve de viver em Nazaré para cumprir a profecia de Isaías 11:1, segundo a qual o Messias seria chamado "um nazareno" (Mateus 2:19-23).

- Jesus teve de iniciar seu ministério em Cafarnaum para cumprir a profecia de Isaías 9:1, segundo a qual a terra de Zebulom e a terra de Naftali viriam uma grande luz.

- Jesus teve de ser crucificado na hora exata profetizada por Daniel: o "ungido" seria "morto" (crucificado) após ter feito expiação dos pecados em 3 de abril de 33 d.C. Essa profecia foi feita por Daniel 604 anos antes de Cristo (Daniel 9:26).

- Jesus teve de morrer pelas mãos dos romanos por meio da terrível punição da crucificação a fim de cumprir diversas profecias do Antigo Testamento sobre o Messias como servo sofredor (Isaías 53, Salmos 22).

- Jesus teve de morrer na Páscoa para cumprir o destino messiânico como Cordeiro de Deus para cumprir a festa judaica da Páscoa (Levítico 23:4).

- Jesus teve de ressuscitar no primeiro dia da semana para cumprir a festa judaica das Primícias (Levítico 23:9).

Lidere esperando a hora certa | **179**

- O Espírito Santo precisou ser enviado no dia de Pentecostes para coincidir com a entrega da Lei no Sinai (Êxodo 19; Levítico 23:15; Atos 2:1-4).

Além do mais, tenho razões para acreditar que Jesus retornará ao soar das trombetas que anunciam Rosh Hashanah, a última festa do calendário judaico (Levítico 23:23; 1Tessalonicenses 4:16; 1Coríntios 15:52). Até agora, Jesus tem cumprido cada um dos festivais judaicos. Por que seu retorno seria diferente desse padrão? O sábado que ocorre durante esse último festival dos Tabernáculos é chamado *Shabbat Shuvah* pelos judeus, o Sábado do Retorno. Jesus disse que seu retorno seria anunciado pelo soar da trombeta (1Tessalonicenses 4:16; 1Coríntios 15:52). Tudo que Deus faz é cronometrado. Você não pode conhecer a vontade de Deus sem se conformar à sua cronologia. Aprenda a esperar no Senhor.

## Tentando apressar Deus

Não sei quanto a você, mas posso lhe garantir que tenho perdido a hora de Deus em numerosas ocasiões. Pulei para fora do barco antes mesmo de saber se era Jesus andando na água! Enquanto estava afundando até o fundo do lago, admitia que talvez — apenas talvez — eu tinha consultado o meu relógio, e não o do Pai. É incrível o que um pouco de água em seus pulmões é capaz de ensinar. Isso já aconteceu com você? Bem, você está em ótima companhia. Aprenda a esperar no Senhor. É uma lição impagável.

Não sei lhe dizer quantas vezes eu já me equivoquei em relação à cronologia de Deus, normalmente tentando apressá-la.

Às vezes fico para trás, agindo devagar demais quando Deus fala, mas isso é raro. É raro no caso da maioria dos cristãos. A maioria dos cristãos tenta coagir Deus a agir, indisposta a esperar pela hora dele, apenas para descobrir que ele não pode ser apressado. Tenho certeza também de que Satanás está por trás de muitos desses inícios falsos, sussurrando em nossos ouvidos: "Vá em frente. Você não pode perder essa oportunidade". Ele também injeta uma boa dose de ansiedade para provocar uma ação precoce. Uma das ferramentas mais estratégicas de Satanás é convencer-nos a apressar nossas decisões.

Minha filha Trina diz que Deus proverá todas as suas necessidades se você estiver disposto a esperar. Eu acredito que ela está certa. Raramente as coisas são absolutamente contrárias à vontade de Deus, especialmente quando pedidas por um de seus filhos. Mas muitas vezes a nossa impaciência aborta o plano de Deus e o nosso desejo.

Quantos casamentos terminaram em tragédia porque os casais não estavam dispostos a esperar pela pessoa certa? Ou, quando o casamento ficou difícil, em vez de honrar seus votos matrimoniais eles encerraram abruptamente o casamento? Raramente paramos para pensar nas consequências negativas que podem ocorrer por causa da nossa impulsividade, incluindo traumas vitalícios para os nossos filhos.

Em João 7, os irmãos biológicos de Jesus o pressionaram a ir para a Festa dos Tabernáculos a fim de "exibir" seus poderes milagrosos. Ele não só se recusou a ser pressionado por essa impaciência, mas também os repreendeu por sua insensibilidade em relação à vontade de Deus. "Para mim ainda não chegou o tempo certo; para vocês qualquer tempo é certo" (João 7:6). Não sei se você entendeu, irmão, mas isso não foi um elogio. Seu discernimento da cronologia de Deus é tão

Lidere esperando a hora certa | **181**

limitado que realmente nem importa quando você vai, mas para Jesus a cronologia do Pai importava muito. Deveria ser importante também para nós.

A mãe de Jesus cometeu o mesmo erro no casamento de Caná, mas recebeu uma repreensão mais mansa: "Que temos nós em comum, mulher? A minha hora ainda não chegou" (João 2:4). Felizmente, ele não a deixou tão mal assim. Produzir 150 galões de vinho alegra o espírito de qualquer um.

O Espírito Santo não veio quando bem quis, mas esperou 50 dias após a Páscoa para se fazer presente. Os estudiosos acreditam que esse período de espera coincidiu perfeitamente com a doação da Lei no monte Sinai. Os filhos de Israel chegaram aos pés da montanha exatamente 50 dias após saírem do Egito. Aproximadamente 1.400 anos mais tarde, o fogo voltaria, mas dessa vez na sala superior, e a montanha era o monte Sião.

Os discípulos também foram instruídos por Jesus a esperar em Jerusalém até a chegada do dia de Pentecostes. Todos deveriam aparecer no mesmo horário, no dia certo, na hora certa, no local exato para a chegada do Espírito Santo.

Tudo que Deus faz está de acordo com sua cronologia. Graças a Deus, os dias da criação não foram trocados. O que teria acontecido se Deus tivesse criado a vegetação antes da luz, os pássaros antes da atmosfera, o gado antes do pasto ou os peixes antes do oceano?

Aqueles que desejam ser grandes líderes no Reino de Deus precisam aprender a agir apenas quando o Espírito os impelir, caso contrário estarão fora da vontade de Deus. Na verdade, você precisa *exercitar* isso. Se estiver fora da cronologia de Deus, você estará fora da vontade dele, e ponto final! "O tempo é tudo" é mais do que um clichê; é uma verdade absoluta.

A promessa de Deus vale para aqueles que "esperam no Senhor" (Isaías 40:31).

Decisões apressadas têm também um efeito terreno. Agir apressada e antecipadamente faz com que as pessoas não o levem a sério. Impulsividade é um traço comum da imaturidade, e decisões frequentemente apressadas podem destruir sua credibilidade. Não é apenas uma questão de "Vê se cresce!", mas uma questão mais séria de "Posso realmente confiar em você?". Sem maturidade, a liderança pode ser devastadora e repressora.

Você já ouviu falar do segundo tenente no exército? Esse suboficial assusta suas tropas por causa de sua tendência para tomar decisões que custam vidas. Se você é um líder novo com pouca experiência, reconheça sua necessidade de usar maturidade e de ser ponderado em suas decisões! Tudo na vida exige uma cronologia perfeita.

## O valor de esperar

Isaías 40:30,31 diz: "Até os jovens se cansam e ficam exaustos, e os moços tropeçam e caem; mas aqueles que esperam no Senhor renovam as suas forças. Voam bem alto como águias; correm e não ficam exaustos, andam e não se cansam".

Salmos 38:15 revela o coração de Davi: "Senhor, em ti espero". Davi teve de aturar a perseguição de Saulo e anos de fuga pelo deserto antes de Deus promovê-lo ao trono. Poderíamos dizer que Davi era "experiente na arte de esperar". Se Davi não tivesse esperado, nunca teria desenvolvido o caráter, a humildade e a experiência necessários para governar uma nação. Mais tarde, o anjo Gabriel anunciaria que o Messias

Lidere esperando a hora certa | **183**

vindouro, Jesus Cristo, se sentaria no trono de seu pai Davi (Lucas 1:32). É uma bela recompensa pela espera. Se você me perguntar, valeu a pena esperar.

Miqueias também teve a sabedoria de esperar até receber notícias de Deus. Miqueias 7:7 diz: "Mas, quanto a mim, ficarei atento ao Senhor, esperando em Deus, o meu Salvador, pois o meu Deus me ouvirá".

Isaías 30:18 declara: "Contudo, o Senhor espera o momento de ser bondoso com vocês; ele ainda se levantará para mostrar-lhes compaixão. Pois o Senhor é Deus de justiça. Como são felizes todos os que nele esperam!".

Se Israel tivesse decidido atravessar o deserto antes de a coluna de nuvem ou fogo avançar, teria perdido seu ar-condicionado durante o dia e seu aquecedor durante a noite. Não é uma boa ideia. Queimadura solar e queimadura de frio são terríveis; é melhor se mexer apenas quando Deus avança. Você sempre acampará com ele se avançar na segurança de sua intenção e de seu tempo.

Contemple os seguintes exemplos de esperar em Deus:

- Jesus teve de esperar trinta anos antes de ser batizado na água e no Espírito, e antes de seu Pai falar "Tu és meu Filho amado, em ti me agrado", validando e liberando-o para o seu ministério (Lucas 3:22,23).
- Moisés teve de esperar quarenta anos no deserto antes de experimentar a sarça ardente, e outros cinquenta dias antes de encontrar a montanha ardente (Êxodo 3:20).
- Treze anos após seu primeiro sonho, Deus libertou José da prisão e o fez governador do Egito (Gênesis 41:46).
- Abraão esperou 25 anos para que a promessa de Deus de que Sara teria um filho se cumprisse (Gênesis 15:21:5).

Nesses e em muitos outros exemplos, o resultado nunca teria ocorrido se não houvesse a espera. Nossa impaciência nunca leva Deus a mudar de opinião.

## Quero paciência, e quero agora!

Certa vez ouvi uma pessoa dizer em tom de brincadeira: "Quero paciência, e quero agora". Para mim, isso nunca foi uma brincadeira. Sempre tem sido um dos maiores desafios da minha vida. Esperar nunca foi fácil. Isso faz parte do processo de refinamento para a liderança, não é? Deus lhe dá paixão e urgência para liderar outros, mas também esfria o aço na medida certa para forjar uma ferramenta mais forte. Líderes, aprendam a esperar.

Lembro-me que, quando ainda era garoto, não quis esperar até que a semente germinasse. Era um projeto da escola. Todos plantariam uma semente, regando-a durante semanas até que uma pequena folha verde começasse a aparecer no solo. Mas, como sempre, eu era impaciente. Não consegui esperar, então desenterrei a semente para ver como ela estava indo. É claro que a matei.

Se você abrir o casulo cedo demais, a borboleta jamais voará.

Se você retirar o bolo do forno antes de assá-lo completamente, você o estragará; a textura não muda, ele permanece grudento no centro, ele não cresce. Você pode culpar as pessoas por não quererem comer seu bolo? Você pode culpar as pessoas por não quererem segui-lo porque seus planos ainda estão crus por dentro?

Lidere esperando a hora certa | **185**

Observe que, em João 7:30, as pessoas tentam prender Jesus, mas ninguém consegue colocar a mão nele "porque sua hora não tinha chegado". Deveria ser muito encorajador saber que os planos de Deus para a sua vida jamais podem ser impedidos por atividades demoníacas ou intrusões satânicas contrárias à vontade dele. Ele não permite. Deus tem um plano perfeito para a sua vida, e, quando chega a sua hora, ele se realizará. Mas não há garantia de que Deus seguirá com seus planos se você não esperar pela hora dele.

Em Filipenses 1:6, o apóstolo Paulo deixa claro que "aquele que começou a boa obra em vocês vai completá-la". Você pode contar com isso. Não conheço o dia nem a hora, mas ele completará o que começou. Relaxe e espere.

Um amigo meu do Nepal foi preso por 14 anos por causa de sua pregação do evangelho. Nas últimas três prisões em que foi mantido, o Espírito Santo lhe disse o ano, o mês, o dia e a hora em que seria liberto. Muitos meses antes, ele informou aos outros presos a hora em que Deus o libertaria. Obviamente, não acreditaram nele. Alguns regozijaram, mas a maioria zombou. Meses depois, no mês, dia e hora exatos, precisamente ao meio-dia, os guardas vieram e o soltaram. Muitos homens entregaram sua vida a Jesus naquele dia quando ele saiu da prisão. Deus jamais se atrasa.

## A hora de Josué

Deus instruiu Josué a marchar em volta de Jericó durante seis dias, então, no sétimo dia disse que deveriam marchar ao redor da cidade outras sete vezes (Josué 6). Francamente, considero-me feliz por não ter sido um israelita naquele dia.

Provavelmente eu teria abandonado as fileiras no sexto dia. Se eu tivesse saído no sétimo dia, teria incitado uma revolta. "Por que não podemos tocar as trombetas agora? Por que precisamos esperar? Estou cansado de andar em círculos. Alguém tem uma trombeta? Vamos começar a festa agora".

Por isso, nunca fui bom em beisebol. Eu não aguentava esperar até ver claramente que a bola estava atravessando a base. Assim que era lançada, eu rebatia.

No livro *What To Do When It's Your Turn* (*and it's always your turn*) [O que fazer quando é a sua vez (e sempre é a sua vez)], Seth Godin diz: "Por favor, espere. Deixe fervilhar. Talvez você não goste disso, mas, pelo menos dessa vez, adie o alívio da resolução. Essa é a sua oportunidade de fazer algo que importa". Adoro sua descrição de "alívio da resolução". Algo dentro de nós é tão impaciente para resolver as coisas... Sempre estamos com pressa de "fazer algo acontecer" e depois ficamos decepcionados ou até mesmo devastados quando isso não acontece.

O autor e palestrante motivacional Dan Millman disse: "Aprendi que podemos fazer qualquer coisa, mas não podemos fazer tudo... não ao mesmo tempo. Assim, pense em suas prioridades não em termos das atividades que faz, mas de quando você as faz. Tempo é tudo".

Adoro o comentário do famoso jogador de beisebol Yogi Berra, cujo conselho eu obviamente não segui: "Você não tem de rebater com força para fazer um *home run*. Basta rebater no momento certo".

O atleta olímpico Carl Lewis concorda: "Na vida, tudo depende do tempo certo". O ex-primeiro ministro canadense Pierre Trudeau evidentemente pensa igual quando se trata de política: "O ingrediente essencial da política é o tempo".

Dou graças a Deus por minha esposa Devi. Ela é meu freio de emergência e minha sabedoria quando avanço apressadamente em território em que até mesmo tolos temem pisar. Ela me obriga a diminuir o ritmo, a rever os fatos, a reconsiderar minhas decisões e a examinar meus motivos. Ela é muito melhor em esperar pela hora certa do que eu. Sou impulsivo, espontâneo e raramente avalio os custos. Ela faz tudo isso e cuidadosamente analisa cada aspecto da decisão.

Em 2002, senti que o Senhor estava nos instruindo a sair de Ohio e nos mudar para Dallas, no Texas. Eu compartilhei com Devi o que sentia que Deus estava querendo de nós. Eu tinha razões lógicas para a nossa mudança, como, por exemplo, o benefício de viver nas proximidades de um aeroporto internacional e o fato de a família de nossa filha viver ali, mas, no fundo, era porque eu sentia que tinha ouvido de Deus. Quando alguém põe sobre a mesa a carta "Eu ouvi Deus me dizer", a maioria das pessoas cede e retira ou abandona suas objeções. Afinal de contas, quem pode argumentar com Deus? Mas não a minha Devi. Isso não a convenceu nem um pouco.

Devi também sentia que deveríamos nos mudar para o Texas, mas o tempo não estava certo. "Querido, creio que não devemos nos mudar antes de vender nossa casa. Se não vendermos nossa casa, criaremos muitas dificuldades para nós que não são necessárias". Felizmente, concordei com ela e decidimos vender a casa. Pensei que levaria algumas semanas ou meses para eu chamar o caminhão de mudanças. Eu estava errado. Esperamos, esperamos e esperamos. Eu estava pronto para tocar a trombeta depois de um ano. Finalmente, três anos depois, conseguimos vender a nossa casa.

A hora não poderia ter sido mais perfeita. Cada detalhe se encaixou. Até a casa linda que acabaríamos comprando não teria estado disponível no tempo em que eu quis mudar. Na verdade, ela ficou vazia durante dois anos, fazendo com que seu preço caísse para um nível que correspondia às nossas possibilidades. O tempo de Deus sempre é perfeito. Se eu estiver disposto a esperar, Deus sempre agirá para o meu bem. Se existe algo que aprendi é que Deus não se deixa apressar. Seus caminhos são perfeitos.

Ainda estou esperando para que o time de futebol americano Dallas Cowboys vença outro Super Bowl. Não deve ser o tempo de Deus. Alguém tem uma trombeta para me emprestar?

Se você quiser liderar de maneira diferente, você terá de aprender a esperar.

CAPÍTULO 10

# Lidere
# com conhecimento
# da Palavra

*Educação é inútil sem a Bíblia. A Bíblia tem sido*
*a apostila básica dos Estados Unidos em todos*
*os campos. A Palavra de Deus contida na Bíblia*
*tem fornecido todas as regras necessárias para*
*orientar a nossa conduta.*

**Noah Webster**

Imagino alguém dizer: "Bem, é claro que ele conhecia a Palavra, ele *era* a Palavra". Em Filipenses 2:6-8, Paulo deixa claro que, quando Jesus encarnou, ele se despiu de todos os seus privilégios divinos e se limitou às coisas que a humanidade é capaz de fazer e experimentar. Hebreus diz que Jesus teve de ser igual aos seus irmãos em todos os sentidos (Hebreus 2:17).

Quando Jesus se revestiu de carne, a carne passou a fazer exigências a ele. A Bíblia o mostra cansado, sedento, diz que ele adormeceu num barco, que seu espírito se perturbou, que ele foi tentado, se irritou e, às vezes, se decepcionou com seus discípulos. Semelhantemente, quando trabalhava como carpinteiro, farpas de madeira penetraram sua carne muitas vezes. Ao aprender a profissão, é inevitável que, às vezes, o martelo erre o prego e acerte o dedo. Nos dias de Jesus, os carpinteiros eram treinados também como pedreiros.

Você não acha que Jesus deve ter deixado cair uma pedra em seu pé de vez em quando? Como é possível ser carpinteiro ou pedreiro sem acidentes dolorosos ocasionais?

Segundo Lucas 2:51, Jesus teve de se submeter à autoridade de seus pais. Uma expressão igualmente reveladora pode ser encontrada em Lucas 2:52: Jesus "ia crescendo em sabedoria, estatura e graça diante de Deus e dos homens". Se Jesus teve de crescer fisicamente como todos os outros, não seria plausível acreditar que ele também cresceu mentalmente como todos os outros? Caso contrário, não teria feito sentido Jesus se tornar homem para poder morrer pela humanidade.

Se Jesus cresceu mentalmente, seu conhecimento da Palavra também foi adquirido por meio de estudo, como o de todos os outros. Não acredito nem por um instante que Jesus teve algum tipo de percepção sobrenatural que teria lhe permitido conhecer a Palavra através de uma osmose ou telepatia espiritual. Se Jesus conheceu a Palavra por meio de um processo natural, que é a única possibilidade bíblica, então é óbvio que nós podemos ser tão cultos na Palavra quanto Jesus o foi. Isso parece ter acontecido quando ele tinha 12 anos de idade.

A única vez que encontramos Jesus como criança é no templo fazendo e respondendo perguntas na companhia de mestres da Lei (Lucas 2:41-52).

O que eles estavam discutindo? A pesca na Galileia? Política romana? Carpintaria? Muito provavelmente estavam ocupados extraindo verdades do Tanakh, o Antigo Testamento hebraico.

Jesus não só conhecia as Escrituras como também as citava com frequência. Em Lucas 4:4, 8 e 12, Jesus cita Deuteronômio 8:3, 6:13 e 6:16 para responder às sugestões malignas do diabo. Alguns versículos depois, cita Isaías 61:1,2 para validar seu chamado para o ministério. Em João 5:39, Jesus deixa claro que, além de João Batista, o Pai e as obras sobrenaturais, era necessário também que a Palavra de Deus confirmasse seu ministério. Quando os discípulos perguntam a Jesus qual o propósito das parábolas em seu ensinamento, ele cita Isaías 6:9. Tudo que Jesus fazia se fundamentava na Palavra de Deus, e ele a conhecia bem.

No Sermão da Montanha Jesus cita Êxodo, Levítico e Deuteronômio, três dos livros da Lei, a Torá hebraica (Mateus 5-7). Então ele oferece seu próprio comentário sobre seu significado. Em certa ocasião, Jesus interroga um perito na Lei e o elogia quando dá a resposta correta. Minha paráfrase de Lucas 10:25-28 é: "Você é um bom aluno; citou corretamente Deuteronômio 6:5 e Levítico 19:18. Eu teria lhe dado a nota 10 se você não tivesse começado a se justificar".

## Jesus falou com base nas Escrituras

Em vez de listar todas as outras citações do Antigo Testamento que Jesus fez, prefiro levar o leitor à sua conversa pós-ressurreição com os homens na estrada de Emaús. Trata-se de uma das narrativas mais sucintas e mais profundas nas Escrituras: "E começando por Moisés e todos os profetas, explicou-lhes o que constava a respeito dele em todas as Escrituras" (Lucas 24:27). Não há nada como um estudo bíblico sobre a Palavra ministrado pela PALAVRA! Imagine só: homens caminhando por uma estrada primitiva na companhia de Jesus, com corações iluminados pela reação em cadeia de entendimento e mentes cheias de conhecimento abrangente sobre o Messias nas escrituras proféticas e na história atual.

Jesus discursou sobre o mesmo tema na noite daquele mesmo dia, quando explicou aos discípulos tudo que tinha dito anteriormente a Cleopas e seu companheiro, mas dessa

Lidere com conhecimento da Palavra | **195**

vez incluindo também os Salmos. Então ele abriu suas mentes para que pudessem entender as Escrituras (Lucas 24:44,45).

Quero parar e refletir sobre isso. O fato de Jesus ter aberto todo o Antigo Testamento e exposto todos os versículos relacionados a ele deve ter revelado um conhecimento bíblico tremendo. Revelar Jesus a partir dos Salmos bastaria para ocupar mais do que uma noite.

Quando Jesus anunciou a vinda do Espírito Santo, disse: "Ele lhes ensinará todas as coisas e lhes fará lembrar tudo o que eu lhes disse" (João 14:26). Como o Espírito Santo pode fazê-lo lembrar de coisas que você nunca decorou? Já pensou no fato de que, se Jesus decorou as Escrituras, isso poderia ser uma boa ideia também para você?

Um líder sem conhecimento íntimo das Escrituras não tem autoridade para apresentar a mensagem do evangelho. Não basta dizer "Em algum lugar a Bíblia diz". Para que um trabalhador não precise se envergonhar, precisamos manusear corretamente a Palavra da Verdade (2Timóteo 2:15).

Evidentemente, Paulo conhecia a Palavra intimamente. Os discípulos conheciam a Palavra e a citavam com frequência. Os profetas do Antigo Testamento conheciam a Palavra e a citavam para validar suas profecias.

Apolo, um dos primeiros líderes da igreja, apesar de ser um mestre profundo da Palavra, precisou de Priscila e Áquila para que lhe explicassem a Palavra de forma mais profunda. (Falando nisso, se alguém quiser saber quem eu acredito ter sido o autor do livro de Hebreus, meu voto vai para Apolo. Não acredito que tenha sido Paulo, mas certamente era alguém versado no Tanakh, o Antigo Testamento judaico.) Ninguém fora do círculo de líderes de Jerusalém, com exceção de Timóteo e Tito, foi mais mencionado do que Apolo.

Apolo era um judeu de Alexandria; "ele era homem culto e tinha grande conhecimento das Escrituras".

> Querendo ele ir para a Acaia, os irmãos o encorajaram e escreveram aos discípulos que o recebessem. Ao chegar, auxiliou muito os que pela graça haviam crido, pois refutava vigorosamente os judeus em debate público, provando pelas Escrituras que Jesus é o Cristo. (Atos 18:27,28)

Apolo me lembra um apologista — alguém que poderia ter escrito o livro de Hebreus.

Quando eu for para o céu ou Jesus vier para a terra para me buscar com todos os santos, uma das primeiras perguntas que farei será: "Quem escreveu o livro de Hebreus?". O que recebo se estiver certo?! Uma pedra preciosa extra em minha coroa?!

O poder de Deus vem ao cristão por meio da oração, mas a autoridade vem por meio do nosso conhecimento da Palavra de Deus. Suas emoções jamais conseguirão sustentá-lo durante as exigências e emergências da vida, muito menos podem prepará-lo para ajudar outros. Apenas a eterna Palavra de Deus pode armá-lo com as armas necessárias para derrotar o inimigo e equipá-lo para a vitória na vida e eternidade.

Se Jesus, conhecido também como a Palavra de Deus (João 1:1,14; Apocalipse 19:13), teve de estudar e decorar a Palavra, quanto mais nós precisamos conhecê-la. A falta de conhecimento da Palavra o manterá imaturo e suscetível às enganações do inimigo. O conhecimento da Palavra lhe dará a espada do Espírito, que derrotará Satanás e o tornará poderoso no Reino e na igreja de Jesus.

## Empunhando a espada do Espírito

Apenas duas armas são prometidas ao cristão em Efésios 6:12-18. A primeira é a espada do Espírito, que é a Palavra de Deus, e a segunda é a oração. Todo o resto — fé, verdade, paz, justiça e outras características espirituais — faz parte do sistema de defesa do cristão. Seu escudo de fé, seu peitoral de justiça, as sandálias de paz e o cinto da verdade jamais abaterão o inimigo. E você não pode ter maturidade para usar essa arma se não a conhecer profundamente. Você não pode jogar uma Bíblia no diabo; é preciso fazer o que Jesus fez quando foi tentado no deserto: você precisa citá-la, compreendê-la e usá-la com autoridade. "Está escrito" é uma ferramenta poderosa para paralisar o inimigo.

1Pedro 4:11 diz: "Se alguém fala, faça-o como quem transmite a Palavra de Deus".

Meu grande medo é que, nestes últimos dias, os santos estejam mal preparados para encarar o ataque do inimigo por falta de conhecimento da Palavra de Deus. Estarão também suscetíveis a sinais e maravilhas falsos, a doutrinas de demônios e a outros truques dos espíritos enganadores.

Em 2Coríntios 11:14, Paulo descreve o diabo como um "anjo da luz"; e seus servos disfarçados como "servos da justiça". Fica óbvio no episódio da tentação no deserto que o diabo conhece a Palavra de Deus. Ele a cita três vezes de diferentes fontes ao abordar Jesus. O problema é que ele a tira do contexto e até acrescenta palavras para confirmar sua interpretação.

## Como o diabo distorce a verdade

No jardim do Éden, Satanás falou através da boca da serpente. Ele distorceu o que Deus tinha dito originalmente.

O que Deus disse foi: "Coma livremente de qualquer árvore do jardim, mas não coma da árvore do conhecimento do bem e do mal, porque no dia em que dela comer, certamente você morrerá" (Gênesis 2:16,17).

Estas são as palavras do diabo ditas pela serpente: "Foi isto mesmo que Deus disse: 'Não comam de nenhum fruto das árvores do jardim'?" (Gênesis 3:1).

Não, não foi o que Deus disse. Além disso, o diabo apresenta Deus de uma forma muito negativa.

Já que estamos reinterpretando as palavras de Deus para que se conformem à interpretação que alguém queira dar a elas, vejamos como Eva continuou a distorção.

Estas são as palavras da mulher: "Podemos comer do fruto das árvores do jardim". Mas Deus disse: "Não comam do fruto da árvore que está no meio do jardim, nem toquem nele; do contrário vocês morrerão" (Gênesis 3:3).

Perdoe-me, mas não consigo encontrar a expressão "nem toquem nele" nas palavras de Deus a Adão. O diabo sempre acrescenta ou retira enganosamente palavras das Escrituras Sagradas para que deixem de ser tanto sagradas quanto a Palavra de Deus.

Cada grande culto se baseia numa distorção da Palavra de Deus. Muitas falsas doutrinas começam com um núcleo de verdade e depois acrescentam distorções até todo o texto se tornar falso e perigoso. E pessoas sem discernimento acreditam na enganação. Se elas tivessem conhecido a Palavra pura de Deus em seu contexto, poderiam ter frustrado a tentativa do inimigo de enganá-las. Como diziam vários dos meus professores no seminário, uma passagem bíblica retirada do *contexto* se transforma em *pretexto*. Qualquer verdade que se transforma em mistura de verdade e erro não se torna uma verdade parcial; ela perde toda a sua veracidade. É 100% errada.

Lidere com conhecimento da Palavra | **199**

Qualquer um que diga que ignorância é felicidade ignora completamente os perigos da ignorância bíblica. O diabo pode então citar as Escrituras para você, sempre distorcendo-as para enganá-lo, e os demônios podem fazer o mesmo. Os demônios sabiam que Jesus era o Filho do Deus Altíssimo antes mesmo dos discípulos (Lucas 8.26,33).

Tiago 2:19 diz que até mesmo os demônios acreditam que existe apenas um Deus — uma citação de Deuteronômio 6:4. Se demônios podem acreditar sem se tornar cristãos, pergunto-me se o mesmo pode acontecer com seres humanos...

## O diabo é um mentiroso — e seus milagres também são mentiras

Acredito que estamos nos últimos dias. Nesses tempos, veremos sinais, maravilhas e feitos milagrosos mentirosos — todos exibidos pelo diabo. Precisamos conhecer a Palavra de Deus, caso contrário seremos enganados. Leia a batalha entre os magos do Egito e Moisés documentada em Êxodo 7 e 8.

Moisés fazia um milagre, então os egípcios repetiam o mesmo milagre.

Moisés jogou seu bastão no chão e ele se transformou em serpente. Os magos jogaram seus bastões no chão e eles também se transformaram em serpentes.

Moisés transformou a água do Nilo em sangue; os magos fizeram o mesmo.

Um terceiro milagre satânico está documentado em Êxodo 8:5-8:

> Depois o SENHOR disse a Moisés: "Diga a Arão que estenda a mão com a vara sobre os rios, sobre os canais e sobre os

açudes, e faça subir deles rãs sobre a terra do Egito". Assim Arão estendeu a mão sobre as águas do Egito, e as rãs subiram e cobriram a terra do Egito. Mas os magos fizeram a mesma coisa por meio das suas ciências ocultas: fizeram subir rãs sobre a terra do Egito.

No caso das três demonstrações sobrenaturais, os magos conseguiram fazer milagres à altura dos milagres de Moisés. Mas, quando Moisés passou a realizar milagres mais poderosos, os magos tiveram de desistir. Creio que o mesmo acontecerá nos últimos dias. Impostores espirituais tentarão repetir e repetirão os milagres do Espírito Santo, mas suas habilidades terão limites. Apenas Deus pode fazer milagres que resultam em redenção.

Os líderes precisam ter um "detector de mentiras" espiritual bem desenvolvido e denunciar quando ocorre uma manifestação ilegítima de poder sobrenatural. A capacidade de fazer isso se baseia no conhecimento da Palavra.

Em Apocalipse 14 aparece, além do anticristo, uma segunda besta. As Escrituras chamam essa besta de "o falso profeta", uma imitação poderosa do Espírito Santo. O falso profeta possui habilidades milagrosas para fazer grandes sinais e maravilhas, levando as pessoas a adorarem o anticristo. Se você se impressiona com o milagroso, vai adorar esse cara. O problema é que, após virem sinais e maravilhas, muitas pessoas se voltarão para o anticristo.

Em Atos 8, Simão, o feiticeiro, deixou os samaritanos maravilhados com suas manifestações milagrosas de poder; até homens santos e cheios do Espírito expuseram seu jogo falso. Até mesmo sua suposta conversão era suspeita e foi exposta por Pedro. Evidentemente, Simão foi um exemplo de alguém que cria sem ser crente.

Lidere com conhecimento da Palavra | 201

Quando os discípulos retornaram de uma de suas primeiras viagens missionárias, em Lucas 10, regozijavam-se diante da derrota do inimigo. No entanto, sua alegria não durou muito, pois Jesus interrompeu seus relatos com a declaração abrupta: "Eu lhes dei autoridade para pisarem sobre cobras e escorpiões, e sobre todo o poder do inimigo; nada lhes fará dano. Contudo, alegrem-se não porque os espíritos se submetem a vocês, mas porque seus nomes estão escritos nos céus" (Lucas 10:19,20).

Nenhum milagre, sinal ou maravilha me impressiona se não se alinhar com a Palavra de Deus e não glorificar a Jesus. Para garantir que ele se conforma à Palavra de Deus, eu preciso conhecer pessoalmente a Palavra. Qualquer líder cristão autêntico precisa conhecer a Palavra para promover a sã doutrina e proteger seus alunos.

Anos atrás um pastor escreveu um livro sobre anjos e sobre todas as visitações angelicais que estava tendo. As pessoas ficavam hipnotizadas com suas descrições detalhadas dos anjos e de como eles interagiam com ele. Ele atraía multidões enormes que se excitavam com esses visitantes celestiais. O único problema era que ele descrevia os anjos fazendo coisas que não eram bíblicas e lhes dava nomes não mencionados na Bíblia. Os anjos são mencionados com frequência na Bíblia, mas, além de Gabriel e do arcanjo Miguel, nenhum é apresentado pelo nome.

Comecei a me sentir incomodado com tudo isso. Eu não disse à minha congregação que não deveria ler o livro. Eu a encorajei a lê-lo com a Bíblia ao alcance da mão, comparando suas experiências com o que a Bíblia dizia. Por meio de estudos próprios, os membros da minha congregação descobriram que as visitações não eram de Deus. Sabedoria exige que passemos tudo pelo filtro da Palavra de Deus. Depois da morte do autor, toda essa agitação por causa dos anjos desapareceu.

## Os truques de circo do inimigo

As pessoas são incrivelmente vulneráveis a descrições do sobrenatural. Na verdade, somos como crianças quando ouvimos sobre o espectral ou mítico. A maioria dos cristãos deseja ver a demonstração do poder de Deus, mas precisamos estar atentos aos truques de circo do inimigo.

Em Mateus 7:21-23, nos últimos versículos do Sermão da Montanha de Jesus, ele descreve impostores que tentarão obter acesso ao Reino de Deus por meio de sua própria piedade, demonstração de dons espirituais, manifestações de poderes milagrosos ou pela capacidade de expulsar demônios. Sua resposta a eles é: "Eu jamais os conheci".

É essencial conhecermos a Palavra para que não sejamos enganados pelo mago espiritual do nosso dia, sabendo que sua luz e sua mágica não vêm de Deus.

Repito (você sabe que isso é um tema que pesa em meu coração!): precisamos conhecer profundamente a Palavra de Deus nos últimos dias para não sermos enganados pelo inimigo. Você não precisa ser seminarista para conhecer a Bíblia. O Espírito Santo escreveu a Bíblia para que todos pudessem conhecê-la e entendê-la. Não precisamos de diplomas acadêmicos, mas apenas da fome de saber o que Deus diz através da sua Palavra.

## Os muitos benefícios de ler a Palavra

Eu encorajo você a ler menos livros sobre o que a Bíblia diz e simplesmente ler mais a Bíblia. Não importa quão bom sejam os outros livros. Eu não dou a credibilidade *da* Bíblia a livros *sobre* a Bíblia. Ela é a Palavra infalível de Deus.

Existem outras razões pelas quais você precisa conhecer a Palavra de Deus.

A Bíblia:

- impede o pecado (Salmos 119:11);
- produz maturidade e prosperidade (Salmos 1);
- fornece sabedoria para o dia a dia (é assim em todo o livro de Provérbios);
- é eterna e dá segurança; o céu e a terra passarão, mas a Palavra jamais passará (Mateus 24:35);
- revela Jesus. Jesus é a Palavra. Se você deseja conhecer Jesus, precisa conhecer a Palavra escrita (João 1:1,14);
- guia seus passos, dando orientação e clareza para seu futuro (Salmos 119:105);
- dá sabedoria aos simples (Salmos 119:130);
- produz fé (Romanos 10:17);
- revela o futuro (Daniel 7,9; Apocalipse 4-22);
- constitui as boas-novas, o evangelho que deve ser proclamado no mundo inteiro (Atos 8:4,14,25; 1Pedro 1:25; Romanos 10:14-15);
- revela o juízo vindouro (2Pedro 2:6-7);
- revela a eternidade e o nosso relacionamento eterno com Jesus (Apocalipse 21-22);
- revela as intenções secretas do coração de uma pessoa (Hebreus 4:12);
- é o currículo que você deve ensinar aos seus filhos (Deuteronômio 6:7-9);
- é a escritura que deve ser lida em público (1Timóteo 4:13);
- destrói as tentações do inimigo (Mateus 4:4);
- dá vida eterna (João 5:24);
- produz discipulado em você (João 8:31);

- dá grande recompensa no futuro se você a obedecer (Salmos 19:11);
- santifica e faz com que você seja separado na verdade (João 17:17);
- realiza a vontade de Deus na Terra (Isaías 55:10-11);
- traz prosperidade quando você medita sobre ela (Josué 1:8).

## Os pais fundadores a conheciam bem

Praticamente todos os pais fundadores dos Estados Unidos citavam frequentemente a Bíblia. A Palavra era sua autoridade para realizar o que consideravam ser a vontade de Deus. Noah Webster, conhecido como mestre de escola da república, disse: "Educação é inútil sem a Bíblia. A Bíblia tem sido a apostila básica dos Estados Unidos em todos os campos. A Palavra de Deus contida na Bíblia tem fornecido todas as regras necessárias para orientar a nossa conduta".

Em minha opinião, o segundo discurso inaugural de Abraham Lincoln, em 4 de março de 1865, poucas semanas antes de seu assassinato, é um dos maiores discursos já feitos. Nessa curta palestra, Lincoln cita a Bíblia três vezes: duas vezes com passagens de Mateus e uma de Salmos. Lincoln possuía um conhecimento profundo da Bíblia e o usava com frequência em seus discursos. Anos antes, numa palestra ao Partido Republicano de Illinois, o senhor Lincoln citou as famosas palavras de Jesus encontradas em Mateus 12:25: "Casa dividida contra si mesma não subsistirá". Essa declaração se tornou o grito de guerra dos republicanos abolicionistas e foi também o tema básico de sua presidência.

Para Lincoln, que gastou praticamente cada dia de sua presidência — de 1861 a 1865 — envolvido no conflito da Guerra Civil, não podia existir rocha melhor para fundamentar suas convicções do que a Palavra de Deus. Felizmente, ele a conhecia bem o suficiente para citá-la sempre. Não existe autoridade melhor do que a Palavra de Deus. A Palavra de Deus é o martelo que quebra a pedra (Jeremias 23:29). Ironicamente, Mateus 12:25 é o mesmo versículo que Sam Houston proclamou no senado oito anos antes da irrupção da Guerra Civil. Foi profético.

Muitos dizem que a Bíblia é mais atual do que o jornal de amanhã.

Visto que foi o Espírito Santo que escreveu a Bíblia, ele também sabe como inflamá-la e desdobrá-la no seu coração. Isaías 55:11 promete que a Palavra jamais voltará vazia sem realizar o propósito de Deus. Deus envia a Palavra do céu, e ela não retornará para ele sem provocar crescimento. Os homens do primeiro estudo bíblico pós-ressurreição na estrada de Emaús disseram que seu coração ardia dentro deles enquanto Jesus abria as Escrituras para o seu entendimento.

## Deixando um legado

Quando criança, eu costumava andar 700 metros até a escola decorando passagens da Bíblia. Até hoje a Bíblia continua me dando vida, conhecimento, encorajamento, sabedoria e orientação. Quando o inimigo ataca como uma onda, posso responder com as palavras de Jesus: "Está escrito", sabendo que Satanás fica paralisado quando confrontado com a Palavra.

Na minha infância, durante as frias manhãs de inverno da Califórnia central, meu pai lia a Bíblia com seus pés apoiados no forno. Até hoje eu me lembro da minha mãe com sua Bíblia na mesa da cozinha. Suas páginas estavam manchadas de café, tinta e lágrimas. Minha família ama a Palavra. Nós vivemos a Palavra. Nós falamos a Palavra. A Palavra está espalhada por toda a nossa casa. Temos uma placa do lado de fora do nosso lar com a Palavra escrita nela. Numa única pintura, centenas de citações bíblicas preenchem a obra prima na nossa sala de música.

Foi exatamente por causa da Palavra de Deus que João, o amado, recebeu sua revelação monumental de Jesus Cristo na ilha de Patmos (Apocalipse 1:9). Quando você se enche com a Palavra de Deus, também recebe uma revelação de Jesus que muda sua vida. Você só pode transbordar aquilo que o preenche. Garanta que você está cheio da Palavra de Deus. Líderes que lideram de modo diferente conhecem a Palavra, pregam a Palavra, ensinam a Palavra e vivem a Palavra.

CAPÍTULO **11**

# Lidere
## buscando
## primeiro o Reino

*A prioridade número um de Deus na terra não é a igreja organizada, mas seu Reino. A igreja é o que somos, o Reino é o que fazemos.*

**Larry Titus**

Devi e eu iniciamos nosso primeiro ministério pastoral em Wenatchee, no estado de Washington, em 1968. Começamos com algumas dezenas de pessoas, e um ano mais tarde continuávamos com as mesmas dezenas de pessoas. Eu estava tão frustrado! Fazia de tudo que sabia e não tinha sucesso algum. Na verdade, estávamos regredindo. "Em breve", pensei, "seremos apenas a Devi, eu e a nossa pequena filha Trina".

Era uma quente manhã de primavera no mês de maio quando me prostrei no palco da nossa igreja e clamei a Deus em desespero: "Deus, fiz tudo que sei e nada funciona!". Eu lamentei, imerso em autocomiseração. Coitadinho de mim. "Deus me deixou na mão. Mais uma vez", pensei.

Então comecei a ouvir uma voz. Não sei se outros também a teriam ouvido. Mas meu espírito ouviu claramente a voz de Jesus. Não sei quanto tempo durou. Pode ter sido meia hora.

— Larry, alguma vez você já pregou sobre o Reino de Deus?

— Não, Senhor. Acho que não.

— Eu sempre fazia isso. Alguma vez já pregou sobre a igreja?

— Ah, sim, Senhor. Sempre faço isso.

— Eu raramente fazia isso — foi a resposta de Jesus.

Lidere buscando primeiro o Reino | **211**

Então ele me mostrou Mateus 16:18, e a nossa conversa continuou:

— Larry, eu disse que *eu* construiria *minha* igreja. Não pedi que você construísse minha igreja; eu disse que eu a construiria. Eu apenas pedi que você construísse o Reino de Deus.

A única vez em que Jesus menciona a palavra "igreja" é em Mateus 16 e 18. De resto, Jesus não menciona a igreja em qualquer um dos quatro evangelhos.

Para lembrá-lo daquilo que Mateus 16:18 diz, eu cito a passagem aqui: "E eu lhe digo que você é Pedro, e sobre esta pedra edificarei a *minha* igreja, e as portas do Hades não poderão vencê-la".

A segunda vez em que Jesus menciona a igreja, *ekklesia* em grego, encontra-se em Mateus 18:17, quando está aconselhando irmãos que tiveram uma briga. "Se ele se recusar a ouvi-los, conte à igreja; e se ele se recusar a ouvir também a igreja, trate-o como pagão ou publicano".

Se Jesus não pediu que eu construísse a igreja, todo o meu ano cheio de ansiedade para trabalhar na construção da igreja tinha sido totalmente desnecessário. Eu poderia ter me poupado de toda essa preocupação. Estava carregando um fardo inútil.

Como eu, tantos pastores têm ministrado fielmente ao longo dos anos tentando construir a igreja que Jesus disse que ele construiria. Será que você é um deles? É um fardo que Jesus não pediu que você carregasse.

Não sei se isso foi parte da nossa conversa ou não, mas foi como se eu tivesse visto um filme que me mostrava todas as vezes em que eu tinha convidado as pessoas para a "minha" igreja em vez de convidá-las para a igreja de Jesus. Naquele momento, "minha igreja" deixou de ser uma mera expressão.

Minha reação egoísta expôs uma ignorância teológica profunda da qual eu não estivera ciente. Naquele momento, uma convicção profunda me sobreveio: a igreja não é "minha", mas de Jesus, e existe uma diferença grande entre as duas!

Voltando para a nossa conversa, o Senhor continuou:

— Larry, se você construir o Reino de Deus, eu construirei a igreja.

Eu tinha gastado um ano tentando construir "minha" igreja e falhei miseravelmente. Se eu tivesse entendido que o propósito de Deus para mim como pastor era construir o Reino de Deus, eu poderia ter evitado um ano de esforço vivido sem o reavivamento do Espírito Santo.

Se Jesus raramente mencionou a palavra "igreja", sobre o que ele falava? Como você verá em breve, Jesus fez quase duzentas referências ou ao Reino dos céus ou ao Reino de Deus.

A partir daquele encontro divino, Devi e eu começamos a dedicar todos os nossos esforços para a construção do Reino de Deus, começando por falar às pessoas do Rei do Reino. Eu até parei de convidar as pessoas para a igreja e, em vez disso, disse-lhes o quanto Jesus as amava. O engraçado é que a nossa igreja começou a se encher — e rápido.

Lembro vividamente da primeira noite em que fomos para uma taverna e começamos a orar com as pessoas. Eu sofria de total egocentrismo. Estava mais preocupado com quem poderia me ver num bar do que com meu testemunho. Sentamos em uma mesa com uma senhora que estava sozinha e parecia solitária. Quando Devi e eu conversamos com ela, ela largou sua bebida e começou a nos contar sua história. Aquela senhora sofria de câncer em fase terminal. Dentro de poucos minutos ela respondeu à mensagem do amor de Jesus e o aceitou como seu Senhor e Salvador. Após esse encontro, permanecemos em contato, e ela morreu pouco tempo depois.

Convidamos jovens para a nossa casa e contamos a eles sobre Jesus. Havia dias em que ambos os andares da nossa casa se enchiam de jovens orando e aceitando a Cristo, sendo libertos de demônios e enchidos pelo Espírito Santo.

Nós os encontrávamos em restaurantes e os levávamos até Cristo. Fomos até a faculdade e a escola de ensino médio locais e falamos sobre o amor de Deus. Fomos até os parques onde os jovens se reuniam, nos sentamos com eles enquanto fumavam maconha e compartilhamos o amor de Deus com eles.

Nem todos acabaram vindo para a nossa igreja, mas, dentro do primeiro ano, mais de mil adolescentes aceitaram a Cristo em um ou mais de nossos encontros. Então os pais começaram a vir. Começamos a procurar um novo prédio, pois nossa pequena igreja de 220 lugares não conseguia mais acomodar as multidões de jovens que enchiam os corredores, bancos e sentavam até no chão.

Eles vinham em todas as formas, sabores e modas. Covis de drogas se esvaziaram à medida que os garotos eram salvos. Vieram os possessos. Apareceram os desiludidos. Timidamente, os marginalizados batiam à nossa porta. Os viciados vieram. Os garotos religiosos que queriam mais de Jesus apareceram com perguntas. Vieram os herdeiros de líderes civis. Até alugamos uma casa histórica vazia perto da escola: lá os jovens podiam passar, quando a caminho de casa, para reuniões de oração e estudos bíblicos. Algumas igrejas locais não ficaram muito felizes com o nosso sucesso, mas os jovens certamente estavam.

Certo dia, um aluno do ensino médio que frequentava nossa igreja viu um dos garotos da escola totalmente drogado, sentado com a cabeça entre os joelhos no corredor principal. Logo esse jovem foi levado até Cristo. Ele se tornou um dos nossos líderes mais fortes que, mais tarde, construiu uma igreja florescente na região de Seattle, que permanece até hoje.

Quando a igreja entende a visão de Jesus do Reino de Deus, o Espírito Santo aparece. O Espírito cobre e capacita aqueles com a visão, e coisas fenomenais começam a acontecer. Eu sempre digo às pessoas que precisamos tirar a igreja do prédio da igreja e levá-la para o mundo para que as pessoas possam *ser* a igreja. O Reino de Deus é o que acontece quando você sai do prédio da igreja, não é o que você faz enquanto está dentro dele. O Reino de Deus é o que acontece entre segunda-feira e sábado.

Se alguém questionar a prioridade número um de Jesus, tudo que você precisa fazer é ler Mateus 6:33, que mostra o primeiro sermão do Filho de Deus: "Busquem, pois, *em primeiro lugar* o Reino de Deus e a sua justiça, e todas essas coisas lhes serão acrescentadas" (Mateus 6:33).

Se você precisar de provas adicionais, como eu já disse anteriormente, conte as vezes em que Jesus falou do Reino de Deus e compare esse número com as suas referências à igreja, uma lição que jamais esquecerei de meu encontro com Jesus naquele dia muitos anos atrás.

Jesus falou da Igreja apenas duas vezes, em Mateus 16:18 e 18:17, mas existem quase duzentas referências nos evangelhos ao Reino de Deus ou ao Reino dos céus. Não é que Jesus estava subestimando a importância da Igreja, mas estava ressaltando que a Igreja, seu corpo, era o veículo que ele usaria para levar o Reino até o coração das pessoas.

Em termos bem simples: a Igreja é o que somos dentro do prédio, e o Reino é o que fazemos lá fora no mundo.

Lidere buscando primeiro o Reino | **215**

Do início ao fim, a Bíblia é um livro do Reino. No Antigo Testamento, muitos capítulos são dedicados ao Reino de Deus, incluindo capítulos em Daniel, Isaías, Ezequiel e Zacarias. O que foi apresentado no Antigo Testamento impregna todo o Novo Testamento, desde Mateus até o livro de Apocalipse.

## O Reino de Deus está próximo

O primeiro sermão de João Batista foi sobre o Reino de Deus (Mateus 3:2). E o primeiro sermão de Jesus também foi sobre o Reino de Deus (Mateus 4:17). Na verdade, seu último sermão também foi sobre o Reino de Deus. Em Atos 1:3, o texto registra o que Jesus fez após sua ressurreição e antes de sua ascensão: "Depois do seu sofrimento, Jesus apresentou-se a eles e deu-lhes muitas provas indiscutíveis de que estava vivo. Apareceu-lhes por um período de quarenta dias falando-lhes acerca do Reino de Deus".

Após serem comissionados, os discípulos expandiram esse número consideravelmente. Até experimentar meu encontro com Jesus, eu nunca tinha pregado uma mensagem sobre o Reino. Desde então, tenho pregado sobre ele centenas de vezes em cada nação, cidade e igreja que visitei. É também um tema principal em conferências. Se Jesus dava tanta importância ao Reino, este deve ser também o meu objetivo.

## O Reino de Deus e o Reino dos céus

Em Mateus, encontramos o termo "Reino dos céus", que é idêntico às referências nos outros três evangelhos, nos quais lemos "Reino de Deus". Como acreditam muitos estudiosos, Mateus, por escrever para um público exclusivamente judeu, pode ter evitado deliberadamente o uso do nome sagrado para Deus, preferindo o termo mais inclusivo e menos sensível "céus". "Reino de Deus" e "Reino dos céus" se referem ambos ao reino celestial de Deus que governa os reinos deste mundo.

Jesus menciona o Reino dos céus em quase todos os capítulos de Mateus — 12 vezes apenas no capítulo 13. Observe também que a maioria das parábolas de Jesus falava do Reino (Mateus 13:20-25; 20:1-16; 22:1-14; 25:1-13).

Quase consigo ouvir um dos discípulos em Cafarnaum comentar: "Sei que Jesus está vindo também para cá, mas estou tão cansado de ouvir sempre o mesmo velho sermão... o Reino de Deus, o Reino de Deus, o Reino de Deus. Ele não tem outra coisa para pregar?". Segundo os evangelhos, a resposta é: "Não, ele não tinha". Jesus era um pregador de um tema só. É óbvio que não o convidaríamos novamente para pregar em nossas igrejas após ouvi-lo uma ou duas vezes. Quem viria para ouvir alguém que bate na mesma tecla sempre?

## A mensagem prática

Na verdade, o evangelho do Reino é a mensagem mais prática que podemos ensinar. Tudo relacionado ao Reino diz respeito a como Deus estende sua mão, salva, cura, liberta da opressão satânica e dá liberdade às pessoas. Praticamente todas as parábolas de Jesus refletem seu interesse em ver a vida das pessoas transformada agora e por toda a eternidade.

No início de nossa experiência no estado de Washington, aprendemos que ministério incluía muito mais que salvação.

Lidere buscando primeiro o Reino | **217**

Os jovens saíam de uma cultura de drogas e hedonismo e entravam no reino de paz, vida e libertação em Jesus. Eles eram transferidos do reino da escuridão para o reino da luz. O pesado jugo do diabo caía deles e era substituído pelo jugo de Jesus, de proporções opostas. Em Mateus 11:30, Jesus declara: "Pois o meu jugo é suave e o meu fardo é leve". Eles descobriram que o jugo de Jesus era o oposto do seu pesado jugo do pecado.

A preocupação de uma mãe a levou a ligar para mim:

— O que está errado com meu filho? Ele passou quase três dias dormindo após encontrar a religião.

Eu não me importei de lhe explicar a diferença entre religião e salvação verdadeira.

— Não há nada de errado com seu filho — eu lhe garanti.

— Essa é a primeira vez na vida em que ele não carrega mais um peso de culpa e vergonha.

O Reino de Deus tinha chegado, e com ele veio a paz que transcende o entendimento. Agora seu sono não era mais atribulado.

## A oração do Senhor

A oração mais famosa do mundo, universalmente conhecida como "Pai Nosso", começa se dirigindo ao Pai, para então pedir: "Venha o teu Reino; seja feita a tua vontade, assim na terra como no céu" (Mateus 6:10). O pedido a Deus para que seu Reino venha e sua vontade seja feita no céu e na terra é central nessa oração detalhada.

Jesus estabelece a prioridade de sua missão poucos versículos adiante, em Mateus 6:33, quando transforma seu pedido celestial em uma ordem: "Busquem, pois, em primeiro lugar o Reino de Deus e a sua justiça, e todas essas coisas lhes serão acrescentadas". Agora já não é mais apenas um pedido, mas uma prioridade. Essa é a nossa primeira prioridade. A vontade do céu precisa se tornar a realidade da terra, concretizada pela oração e prática do cristão. Naquele fatídico dia de maio, eu tomei a decisão de fazer minha a prioridade de Deus, e jamais voltei atrás.

A fim de romper o poder dos reinos deste mundo e estabelecer a vontade celestial de Deus, precisamos fazer mais do que orar. Jesus enviou os 12 apóstolos para que pregassem sobre o Reino (Mateus 10:7). Depois dos 12, comissionou setenta para pregar sobre o Reino (Lucas 10:9). Finalmente, comissionou a igreja primitiva no dia de Pentecostes (Atos 1:8).

Revelando o fato de que a Igreja Primitiva seguiu o mandado de Jesus, Felipe, gentio e um dos primeiros diáconos, pregou a mensagem do Reino à região segregada da Samaria (Atos 8:12), e ocorreu um reavivamento. "No entanto, quando Filipe lhes pregou as boas-novas do Reino de Deus e do nome de Jesus Cristo, creram nele, e foram batizados, tanto homens como mulheres".

Paulo não só começou seu ministério pregando sobre o Reino de Deus (Atos 14:22), mas também o encerrou dessa forma. "Por dois anos inteiros Paulo permaneceu na casa que havia alugado, e recebia a todos os que iam vê-lo. Pregava o Reino de Deus e ensinava a respeito do Senhor Jesus Cristo, abertamente e sem impedimento algum" (Atos 28:30,31).

Tenho certeza de que um reavivamento verdadeiro só pode ser desencadeado quando a mensagem gloriosa de Jesus Cristo e seu Reino sair das quatro paredes da nossa igreja e tomar as ruas e estradas de um mundo faminto e desesperado. Se Jesus nos ordena buscar em primeiro lugar o Reino de Deus, então, precisamos mudar o foco de construir uma igreja para construir o Reino.

## O Reino agora e mais tarde

Muitas vezes imaginamos o Reino de Deus apenas como algo no futuro, que só acontecerá quando Jesus retornar. Mas Jesus deixou claro que o Reino dos céus está próximo; está tão próximo quanto aquilo que está ao alcance de sua mão. O Reino de Deus é *agora*!

Em Lucas 10:8-9, Jesus instrui os discípulos: "Quando entrarem numa cidade e forem bem recebidos, comam o que for posto diante de vocês. Curem os doentes que ali houver e digam-lhes: O Reino de Deus está próximo de vocês".

Amo a simplicidade da Bíblia *A Mensagem*: "Quando entrarem numa cidade e forem bem recebidos, comam o que for posto diante de vocês, curem todos que estiverem doentes e lhes digam: O Reino de Deus está à sua porta!".

Quais são alguns dos sinais observáveis de que o Reino de Deus chegou?

- Quando uma pessoa é curada ou liberta de demônios, o Reino de Deus apareceu (Mateus 10:7; Lucas 11:20; Atos 10:38).
- Quando alguém nasce de novo, o Reino de Deus chegou (João 3:3,5).
- Quando você alimenta os famintos, veste os despidos, visita os enfermos e presos, você recebe a recompensa do Reino de Deus (Mateus 25:31-46).

- O Reino é estabelecido sempre que ele é proclamado e pessoas são salvas e batizadas (Atos 8:12).
- O Reino de Deus vem quando as pessoas se arrependem de seus pecados (Mateus 3:2; 4:17).
- O Reino de Deus é estabelecido quando você traz a paz de Deus para um lar (Lucas 10:6; Mateus 10:13).
- O Reino de Deus prevalece quando os portões do inferno são derrubados e os poderes do diabo são amarrados (Mateus 16:18,19).

A maior *recompensa* da mensagem do Reino se encontra em Mateus 24:14: "E este evangelho do Reino será pregado em todo o mundo como testemunho a todas as nações, e então virá o fim". Pelo que sei, essa é a única passagem em toda a Bíblia que cita um critério específico para o retorno de Jesus.

## O objetivo da Igreja

Em anos recentes, tem se tornado comum diminuir e até mesmo desencorajar a necessidade de frequentar uma igreja local. Considero isso extremamente perturbador. Não vi resultados positivos nas famílias ou indivíduos que decidiram seguir esse caminho. Adoração coletiva, comunhão, oração e ensinamento da Palavra são essenciais para a saúde espiritual de cada um.

Lobos solitários não se dão bem quando decidem se isolar de sua família espiritual. O corpo de Cristo foi criado para funcionar em conjunto. Fomos feitos para relacionamentos e para a necessidade de prestar contas que eles trazem. Não se torne culpado de encorajar pessoas a abandonarem a igreja.

Lidere buscando primeiro o Reino

Ao mesmo tempo em que não posso concordar com a abordagem casual no que se refere à participação na igreja, acredito que devemos reconhecer a necessidade absoluta de transformar a igreja em um posto de abastecimento, e não em um destino final. Parece-me muito evidente que, muitas vezes, o objetivo de muitos líderes da igreja é trazer as pessoas para dentro do prédio, e não equipá-las para que possam sair e evangelizar e propagar o evangelho do Reino. Ouvi dizer de um pastor que explicou à sua equipe a sua visão para o ano seguinte: garantir que haja "um traseiro em cada lugar". Temo que esse possa ser o objetivo implícito de muitos líderes nas igrejas. Jesus liderou de modo diferente.

Como pastor, meu objetivo era tirar os "traseiros" dos assentos e levar as pessoas para o mundo, onde estavam os perdidos, os desamparados, os sofredores e os doentes. Se a igreja é como um celeiro, eu fico preocupado: E se todas as sementes permanecerem no celeiro? Celeiros não foram construídos para conter sementes, mas para distribuí-las, semeá-las e colhê-las. Semente não serve para nada se permanecer no celeiro. Precisamos tirar do celeiro a semente da Palavra de Deus e a mensagem do Reino da igreja e semeá-la no solo do mundo.

Eu sempre ensinei minhas congregações a ministrarem salvação, cura e batismo às pessoas que ainda estão no mundo. Não espere até que elas venham para a igreja. As igrejas não conseguiriam conter as pessoas se os membros fossem equipados para ministrar a elas onde estão, em seus empregos, escritórios e atividades públicas, e não primeiro trazê-las para um prédio. Nosso chamado é levar o evangelho para o mundo, não esperar que o mundo venha até nós. Até mesmo o que chamamos de "comunhão" deveria ocorrer primeiro no lar antes de chegar à igreja. Jesus não estava numa sinagoga ou no templo quando serviu pão e vinho aos discípulos, mas num lar.

## O evangelho ide

Quando leio Mateus 28:18,19, entendo que a Grande Comissão é um evangelho "ide", não um evangelho "vinde". "Venha para a nossa igreja, venha ouvir nosso pregador"; "Venha e seja parte da nossa experiência de adoração"; "Venha ver nosso departamento infantil"; "Venha curtir nosso teatro de Natal e nossa apresentação de Páscoa"; "Venha para o altar para orar e ser salvo".

Não deprecio de nenhum desses programas. Creio que eles são importantes e podem ser necessários. No entanto, permanece a pergunta: Onde a igreja é mais eficiente: no pequeno espaço do prédio ou lá fora, no mundo real? Onde estão os enfermos, destituídos, possessos e desencorajados? A maioria está no mundo, precisando ouvir a mensagem do Reino.

Julgando pelas passagens bíblicas e pelos exemplos que citei neste capítulo, parece-me que um evangelho "ide" é mais eficaz do que um evangelho "vinde".

Vá e cure doentes.

Vá e expulse demônios.

Vá e liberte oprimidos.

Vá e ressuscite mortos.

Vá e leve pessoas até Jesus.

Vá e seja uma testemunha para o mundo daquilo que Deus tem feito por você.

Vá e faça discípulos.

Lidere buscando primeiro o Reino | **223**

Vá, invada o território de Satanás e proclame Jesus como novo proprietário.

Vá e visite enfermos e presos.

Vá e pregue o evangelho do Reino.

Vá e ajude as pessoas a carregar o grande peso que carregam.

Vá e invada a escuridão com sua luz.

Vá e batize pessoas em nome do Pai, do Filho e do Espírito Santo.

Vá e dê generosamente daquilo que lhe foi dado.

Vá e estabeleça negócios orientados pelo Reino de Deus.

Vá e espalhe o amor ilimitado de Deus.

Vá e os convide para a sua mesa.

Vá! Vá! Vá!

Quando praticamos o evangelho do "ide", o evangelho do "vinde" seguirá: "Venham a mim todos os que estão cansados e sobrecarregados, e eu lhes darei descanso" (Mateus 11:28).

Mas lembre-se, você não está convidando as pessoas para uma igreja, para ouvir um sermão, para participar de um programa, para se tornar membro ou para se afiliar a uma denominação. Você está convidando para Jesus, seu Salvador, a Cabeça da igreja e Rei de seu Reino.

## Onde estão os pés de Jesus?

Se o inimigo está sob os pés de Jesus, então nós, o corpo de Cristo, temos a responsabilidade de destruir as obras do diabo. Os pés são parte do corpo. A igreja foi designada para esmagar a cabeça de Satanás. Romanos 16:15 diz: "Em breve o Deus da paz esmagará Satanás debaixo dos pés de vocês".

Em Lucas 10:19, Jesus disse aos discípulos: "Eu lhes dei autoridade para pisarem sobre cobras e escorpiões, e sobre todo o poder do inimigo". Repito: são os pés de Jesus e o corpo de Cristo que esmagam.

A primeira profecia da Bíblia se encontra em Gênesis 3:15: "Porei inimizade entre você e a mulher, entre a sua descendência e o descendente dela; este lhe ferirá a cabeça, e você lhe ferirá o calcanhar".

Todos os estudiosos reconhecem esse versículo como referência a Jesus, o Messias, em sua vitória sobre Satanás. Essa revelação profética encontra seu cumprimento na cruz e se estende por toda a era da graça. Jesus esmagou a cabeça de Satanás na cruz e continua a fazê-lo por meio da igreja militante. Tenho certeza de que é isso o que Jesus alude em Mateus 16:18 quando diz: "Sobre esta pedra edificarei a minha igreja, e as portas do Hades não poderão vencê-la". Nem mesmo a fortaleza de Satanás é capaz de impedir a igreja conquistadora, orientada pelo Reino.

É responsabilidade do corpo de Cristo, nesta terra, destruir o reino do diabo. Se a razão declarada para a aparição de Jesus nesta terra foi destruir as obras do diabo (1João 3:8), então esse deve ser também o objetivo declarado da igreja. "Para isso o Filho de Deus se manifestou: para destruir as obras do diabo".

Paulo deixa claro em 1Coríntios 15:24-28 que, antes de Jesus entregar o Reino a Deus Pai em seu retorno, cada governo, autoridade e poder será colocado sob seus pés. Já que a igreja é o corpo de Cristo, ao qual pertencem os pés, vejo claramente que a igreja precisa se envolver integralmente no estabelecimento do Reino de Deus nesta terra colocando o reino de Satanás sob seus pés. O território ocupado por Satanás precisa ser reivindicado pela igreja para Jesus.

> O objetivo de cada
> líder não deve
> ser construir uma
> congregação maior,
> mas ganhar cidades
> inteiras para Cristo.

Sabendo que a imensidão do poder e da influência globais de Satanás parecem uma tarefa invencível, quero encorajá-lo com as palavras de Jesus aos setenta discípulos após sua volta de sua campanha pelo Reino. Após relatarem a Jesus a alegria de ver demônios expulsos, Jesus revelou a imagem cósmica maior, que é muito mais impressionante: "Eu vi Satanás caindo do céu como relâmpago" (Lucas 10:18). Não desanime, querido amigo, em sua administração diária da autoridade do Reino. Quando você, o corpo de Cristo, está ministrando às pessoas, no mundo invisível Satanás está sendo derrubado de seu trono celestial de poder por Jesus, a cabeça da Igreja.

## Outra arma

Não subestime o poder da oração para amarrar e derrotar Satanás e seus ajudantes. Quando seus joelhos se dobram em oração, seus pés esmagam a cabeça do inimigo.

Em resposta à oração de Daniel em Daniel 9:23, Gabriel e o arcanjo Miguel foram enviados do céu para frustrar completamente os planos do diabo para o Irã, antigas Pérsia e Grécia. Baseado naquilo que vemos em Daniel, acredito também que a prisão de Satanás por mil anos, mencionada em Apocalipse 20, é resultado direto das orações dos santos. Além disso, Apocalipse 5:8 e 8:3 deixam claro que as orações dos santos são usadas para abrir os selos dos eventos no fim dos tempos.

Quero lembrá-lo novamente de que todo esse tema de oração e reino começou quando Jesus nos ordenou que *orássemos* para que a vontade de Deus fosse feita e que seu Reino viesse à terra como no céu (Mateus 6:10).

Em Efésios 6:12, após descrever a armadura de defesa que devemos vestir para nos defender do assalto do inimigo, como o escudo da fé e o peitoral da justiça, Paulo menciona duas armas ofensivas, a espada do Espírito e a oração. Você já deve ter ouvido falar sobre armas de destruição em massa. Bem, essas são armas de salvação em massa.

## O fim dos reinos do mundo

1Coríntios 15:24-28 retrata o cenário final que Daniel descreveu há mais de 2.500 anos, quando todos os reinos do mundo são colocados sob os pés, ou sob a autoridade de Jesus. Esse é um dos versículos mais poderosos de toda a Bíblia: "Então virá o fim, quando ele entregar o Reino a Deus, o Pai, depois de ter destruído todo domínio, autoridade e poder. Pois é necessário que ele reine até que todos os seus inimigos sejam postos debaixo de seus pés". O grande ápice de toda a história é que o Reino de Deus prevaleça sobre o reino do diabo, e o

Lidere buscando primeiro o Reino

instrumento que Deus escolheu para realizar essa tarefa é o corpo de Jesus, a igreja.

Deus colocou pessoas em sua equipe, e ele não as chamou apenas para a salvação. Ele não as chamou apenas para serem bons membros da igreja no domingo. Ele as chamou para destruir os demônios da escuridão e esmagar a cabeça da serpente (Lucas 10:19; Romanos 16:20). Se tudo que estamos produzindo é uma igreja cheia de frequentadores e doadores fiéis, nós fracassamos. Nossas igrejas deveriam estar lotadas de guerreiros armados com a Palavra de Deus e cheios do Espírito Santo. Deveríamos ser soldados de elite, que desejam ver o reino de Satanás destruído e o Reino de Deus estabelecido. Você está liderando sua igreja para a batalha? Você a está liderando de modo diferente?

Cada membro precisa ser apoiado e encorajado a buscar em primeiro lugar o Reino de Deus. Cada membro deve ser instruído a usar seus dons — na vida profissional, no lar, na comunidade cívica e no campo de esportes. "Busquem em primeiro lugar o Reino" não é apenas um chavão — é o âmago do evangelho e o propósito de toda a Palavra de Deus.

## Satanás é o senhor deste mundo

A Bíblia declara claramente que os reinos do mundo pertencem atualmente a Satanás. Estas são as palavras de Jesus: "Chegou a hora de ser julgado este mundo; agora será expulso o *príncipe* deste mundo" (João 12:31). "Já não lhes falarei muito, pois o *príncipe* deste mundo está vindo. Ele não tem nenhum direito sobre mim" (João 14:30). Em João 16:11, Jesus volta a chamar Satanás de "o *príncipe* deste mundo". Se em três ocasiões

Jesus chamou Satanás de "senhor", de *archon* deste mundo, podemos acreditar que esse é o caso.

Em outra referência, Paulo identifica Satanás como o "deus deste mundo". 2Coríntios 4:4 e 1João 5:19 afirmam que o mundo inteiro está no poder do maligno. Efésios 2:2 descreve Satanás como o senhor das autoridades do ar. Apocalipse 9:11 revela que Satanás, ou um de seus ajudantes, é o rei do abismo. Se este é o caso, o diabo tem muita autoridade, que se estende desde os céus até o abismo abaixo da terra.

Na tentação no deserto, o diabo teve a audácia de oferecer todos os reinos do mundo a Jesus se ele se prostrasse diante dele e o adorasse (Mateus 4:9). Mas Jesus preferiu morrer na cruz e destruir o poder do diabo por meio da morte (Hebreus 2:14). Agora Jesus comissionou a igreja, seu corpo, para colocar o reino do diabo sob seus pés.

## O gemido da criação

O pecado do homem fez toda a humanidade e toda a criação cativas. Mesmo que indivíduos sejam libertos da opressão do diabo, a criação como um todo não é (Romanos 8:20-22). Toda a criação geme, querendo ser liberta do domínio do diabo.

Não consigo imaginar como será quando Satanás — com todos os outros membros de sua trilogia demoníaca, o anticristo e o falso profeta, e todos os reinos do mundo, governadores malignos, líderes despóticos, odiadores de Deus, inventores do pecado, todos os pornógrafos, todos os líderes religiosos falsos, cada demônio dentro e fora do inferno e cada pessoa má morta ou viva — curvar seus joelhos perante Jesus para proclamá-lo Senhor (Filipenses 2:10).

Lidere buscando primeiro o Reino | **229**

Apocalipse 11:15 é uma das minhas passagens favoritas na Bíblia. Assim que soa a sétima trombeta, altas vozes no céu proclamarão: "O reino do mundo se tornou de nosso Senhor e do seu Cristo, e ele reinará para todo o sempre". Esse versículo corresponde a Apocalipse 19, quando Jesus voltar para esta terra com o propósito de destruir todos os reinos do mundo na grande batalha do Armagedom (veja Apocalipse 16:16). Ouçamos as palavras de Jesus sobre o que acontecerá em seu retorno:

> Imediatamente após a tribulação daqueles dias o sol escurecerá, e a lua não dará a sua luz; as estrelas cairão do céu, e os poderes celestes serão abalados. Então aparecerá no céu o sinal do Filho do Homem, e todas as nações da terra se lamentarão e verão o Filho do Homem vindo nas nuvens do céu com poder e grande glória. E ele enviará os seus anjos com grande som de trombeta, e estes reunirão os seus eleitos dos quatro ventos, de uma a outra extremidade dos céus. (Mateus 24:29-31)

Em dezembro de 1741, o maior oratório de todos os tempos, o *Messias* de Georg Friedrich Händel teve sua estreia em Dublin, na Irlanda. Desde sua primeira apresentação, milhões de pessoas têm se levantado enquanto o coro canta o movimento final, o "Aleluia". Muitas histórias diferentes têm surgido sobre quando a prática de se levantar para o coro do "Aleluia" começou. Alguns dizem que foi quando o rei Jorge II da Inglaterra se levantou e o público, segundo a tradição, também se levantou para o rei. Não sabemos se essa história é mito ou não. Mas posso lhe garantir sem qualquer equívoco que, quando Jesus voltar e os reinos deste mundo se tornarem o Reino do nosso Senhor e de seu Cristo, terá chegado a hora de entoar o coro celestial do "Aleluia". Contudo, em vez de se levantarem, todos se prostrarão aos pés de Jesus e o proclamarão Rei dos reis e Senhor dos senhores.

Ouço alguém gritar "Aleluia"?

Sei que citei muitas passagens sobre o Reino de Deus, mas preciso citar mais duas do Antigo Testamento.

Um dos versículos proféticos mais poderosos em toda a Bíblia se encontra em Daniel 7:21,22: "Enquanto eu observava, esse chifre (o anticristo) guerreava contra os santos e os derrotava, até que o ancião veio e pronunciou a sentença a favor dos santos do Altíssimo; chegou a hora de eles tomarem posse do Reino".

Alguma vez você já se sentiu esgotado pelas táticas do diabo? Alguma vez já se cansou da luta? Tenho boas notícias.

Alguns versículos mais adiante, Daniel 7:27 diz: "Então a soberania, o poder e a grandeza dos reinos que há debaixo de todo o céu serão entregues nas mãos dos santos, o povo do Altíssimo. O reino dele será um reino eterno, e todos os governantes o adorarão e lhe obedecerão".

Você realmente entende o que isso significa? Pode começar a regozijar-se agora: O diabo perderá a maior batalha em toda a história, e todos os reinos do mundo serão entregues aos santos, e eles os possuirão para sempre! Posso ouvir outro "Aleluia"?

Líderes que lideram de modo diferente fazem do Reino de Deus a sua prioridade.

CAPÍTULO 12

# Lidere
## com unção

*Desde os dias de Pentecostes, o todo da igreja
alguma vez deixou de lado todos os outros
trabalhos e esperou em Cristo por dez dias, para
que o poder do Espírito pudesse se manifestar?
Damos atenção demais a métodos, maquinarias
e recursos, e ignoramos a fonte de poder.*

**Hudson Taylor**

Você consegue imaginar como deve ter sido a conversa entre Jesus e os discípulos durante a Última Ceia? A ceia acabou, e Jesus começa a contar aos discípulos quem assumirá seu lugar.

"Pessoal, posso pedir sua atenção? Larguem sua costela de carneiro e ouçam. Quero informar vocês sobre algo muito especial que acontecerá dentro de poucos dias. Depois de hoje à noite, não estarei mais aqui. Terei ido embora para um lugar onde não poderão me encontrar. Em segundo lugar, apesar de ter ido embora, não estarei ausente de verdade. Animem-se. Alguém me substituirá. Vocês vão amá-lo. Ele é igual a mim em todos os sentidos. Bem, em quase todos os sentidos. Não estou brincando, ele é exatamente como eu em cada aspecto, só que vocês não podem vê-lo, comer com ele, caminhar com ele, conversar com ele ou compartilhar histórias. Ah! Suas pescas acabaram: podem aposentar seus barcos e vender suas redes. Ele pesca, mas não com barcos e redes. Eu o chamo de o "Espírito Santo", ou "Espírito da verdade", ou "Consolador", ou "Defensor", ou "Ajudante". Vocês vão amá-lo. Quando ele virá? Ele chegará mais ou menos cinquenta dias após domingo.

Lidere com unção | **235**

Preparem-se. Quando ele vier, derrubará vocês como uma tempestade. Literalmente. Agora, a parte engraçada é esta: ele não caminhará com vocês. Ele caminhará dentro de vocês. Sei que é difícil de acreditar, mas funcionou comigo."

Consigo imaginar seus olhares incrédulos:

— Se não pudermos vê-lo, como saberemos quando ele vier?

— Ah! Vocês saberão — responde Jesus. — É como perguntar como saber quando um furacão alcançou a costa.

Sei que fiz a conversa imaginada parecer divertida, mas, na verdade, ela foi muito séria.

## A mudança de Deus para dentro de nós

Ninguém naquele pequeno grupo de discípulos poderia ter imaginado a importância do anúncio de Jesus ou quão poderosa seria sua substituição. O maior evento desde a vinda de Jesus estava prestes a ocorrer. Outro membro da Trindade mudaria sua residência do céu para a terra, do templo celestial para templos humanos, a nova morada de Deus. Paulo se referiria aos cristãos três vezes como templos do Espírito Santo (1Coríntios 3:16; 6:19; 2Coríntios 6:16). Pela primeira vez na história do mundo, dois membros da Trindade residiriam na terra: primeiro Jesus e, depois de sua partida, o Espírito Santo.

É por isso que Jesus pôde proclamar com ousadia: "É para o bem de vocês que eu vou. Se eu não for, o Conselheiro não virá para vocês; mas, se eu for, eu o enviarei". O Espírito Santo estava transferindo sua sede do céu para a terra e transformando o espírito dos cristãos em seu lar. O evento que Jesus anunciou não poderia ter sido um anúncio mais monumental.

Jesus sabia algo que a maioria dos líderes não sabe: não bastava *nascer* do Espírito (Lucas 1:35), *ser guiado* pelo Espírito (Lucas 4:1) ou ser *capacitado* pelo Espírito (Lucas 4:14); é preciso também ser *ungido* pelo Espírito Santo (Lucas 4:18). A unção foi a vindicação plena do ministério de Jesus por meio de sinais, maravilhas e milagres. Foi a evidência visível, mas misteriosa, de que Deus estava aparecendo e agindo numa manifestação poderosa de sua presença por meio do recipiente humano de Jesus. Era visual, mas difícil de definir. As pessoas podiam sentir que algo além da compreensão ou capacidade humana estava acontecendo. Era sobrenatural antes mesmo de alguém saber ou poder descrever o que era sobrenatural. Era o beijo de Deus. Era o Pai dizendo primeiro aos discípulos e depois às multidões: "Este é o meu Filho; ouçam-no". Causou maravilha, inspiração, admiração e revelação.

Nos dias do Antigo Testamento, quando chegava a hora de coroar um rei, ele era ungido com óleo por um profeta ou sacerdote como símbolo de que a autoridade plena de Deus repousava sobre ele. Mas, no Novo Testamento, os cristãos experimentaram algo novo. Em vez de serem ungidos por um sacerdote para que pudessem governar como um rei, eram ungidos pelo Espírito Santo para que pudessem estabelecer o Reino, a autoridade e o poder de Deus nesta terra.

Atos 10:38 deixa claro que Jesus foi ungido com o Espírito Santo para que pudesse destruir as obras do diabo. 1João 3:8 confirma isso. O propósito final de Deus ao ungir não só seu Filho, mas também você e todos os cristãos, é ver o reino de Satanás destruído e o Reino de Deus estabelecido.

Após passar quarenta dias no deserto sendo tentado, Jesus retornou para sua cidade de Nazaré. Imediatamente ele foi para a sinagoga no sábado, como estava acostumado a fazer.

Mas algo aconteceu que ninguém esperava. Quando os anciãos da sinagoga lhe entregaram o rolo de Isaías, ele o abriu já no final, num texto que nos referimos agora como Isaías 60. Ele começou a ler: "O Espírito do Senhor está sobre mim, porque ele me ungiu para pregar boas-novas aos pobres. Ele me enviou para proclamar liberdade aos presos e recuperação da vista aos cegos, para libertar os oprimidos e proclamar o ano da graça do Senhor" (Lucas 4:18,19).

Você entendeu? O segredo da vida de Jesus foi a unção pelo poder do Espírito Santo. Não surpreende que, em reação, todos os olhos reunidos na sinagoga se fixaram nele.

Lucas 4:18 diz que Jesus foi ungido pelo Espírito Santo. O autor não está apenas oferecendo um comentário sobre Isaías 61. A partir desse momento, ele está declarando que Jesus recebeu o poder para cumprir o seu chamado, e foi exatamente isso o que aconteceu. Nenhum milagre de Jesus é documentado antes da unção em Lucas 4:18, mas depois disso ocorrem milagres em sucessão ininterrupta. Isso me leva à conclusão de que, se Deus apoia um ministério, ele o ungirá, e, se ele o unge, enviará o Espírito Santo para capacitá-lo. Isso me leva também à conclusão oposta: se Deus não apoiar algo, você não deve esperar resultados sobrenaturais, porque não haverá nenhum.

## O beijo de Deus

Meu amigo Jimmy Evans, presidente de Marriage Today, tem uma declaração clássica: "Se não for o bebê de Deus, ele não o beijará". Isso diz tudo. Se não for a ideia de Deus, ele não enviará seu Espírito Santo para capacitar você ou confirmar a ideia.

Mesmo que uma pessoa tenha experimentado demonstrações visíveis da unção do Espírito no passado, não existe garantia de que a unção continue se a pessoa não está seguindo a orientação do Espírito. Pecado pode bloquear a unção, desobediência pode bloquear a unção, não esperar a hora certa pode reter a unção do Espírito, e falta de oração pode definitivamente impedir a presença do Espírito Santo. Sem a unção do Espírito, você poderia ler as páginas amarelas enquanto prega e teria o mesmo efeito: tédio.

Você faz ideia de quantas boas ideias fracassaram porque não estavam ungidas? Posso lhe dizer das minhas experiências — muitas. Deus não tem a obrigação de beijar qualquer coisa que não tenha origem nele, incluindo nossas boas ideias. Mas, se a ideia partiu de Deus, ele enviará o Espírito Santo para autenticar, vindicar, confirmar e capacitar para que ela se realize. Não podemos ter o poder do Espírito Santo sem a unção de Deus, e não podemos ter a unção de Deus sem sua aprovação. Jesus foi ungido e, consequentemente, capacitado.

Observe que a unção do Espírito Santo não veio sobre Jesus quando ele nasceu, foi batizado ou levado para o deserto, mas apenas após ele voltar do deserto. Jesus já tinha experimentado muito da atividade do Espírito Santo antes de sua unção. Mas a unção veio no momento em que ele completou a tentação no deserto e precisava ser habilitado para realizar seu ministério.

É mais do que provável que alguns de vocês que estão passando por grandes provações no deserto estejam sendo preparados para a maior unção de suas vidas. Eu nunca conheci um grande líder que não tenha passado por grandes provações. Durante as experiências no deserto, Deus lhe ensinará quem ele é e quem é o diabo, e a única coisa que você terá para se apoiar é a Palavra, portanto, sugiro que a estude bem. Ela sempre sobreviverá às emoções.

Muitas pessoas têm me perguntado o que é unção. Na verdade, é mais fácil mostrar do que explicar. Assim que um líder se levanta para falar; ou um cantor para cantar, você sabe imediatamente se ele foi ungido. A atmosfera muda. Existe ou um senso de que a unção do Espírito Santo está sobre ele ou de que ele está meramente exercendo um dom natural.

Nem mesmo cristãos recém-convertidos precisam de instruções para perceber a unção do Espírito sobre alguém. Eles podem não conseguir explicar, mas sabem instintivamente, da mesma forma como uma ovelha conhece a voz de seu pastor.

Algo igualmente importante, e algo que um líder jamais deve esquecer, é a futilidade de ministrar sem o Espírito Santo em oposto à fertilidade eterna produzida quando você ministra com ele. Você precisa dizer a si mesmo repetidas vezes, como Moisés no passado: Não irei sem a tua presença, Deus. Não ministrarei sem o teu Espírito Santo que confirma e capacita. Eu me recuso a ministrar com base em meus próprios talentos ou habilidades. Minhas técnicas, personalidade ou labuta não salvarão ou mudarão ninguém, muito menos a mim mesmo. Preciso do poder e da unção do Espírito Santo em minha vida e liderança, caso contrário tudo será em vão.

Não posso esperar a bênção de Deus sem o seu Espírito. O que valia para Jesus vale para mim. Eu sei que você já acredita nisso; não consigo imaginar nenhum líder que tenha tentado fazer as coisas do seu jeito e não tenha fracassado.

Atos 10:38 diz que Deus ungiu Jesus de Nazaré com o poder e o Espírito Santo. Como sabemos que ele foi ungido? Ele fez o bem e curou todos os que estavam oprimidos pelo diabo, pois Deus estava com ele.

## Batismo pelo fogo

O livro de Apocalipse descreve o Espírito Santo como chamas de fogo diante do trono (Apocalipse 4:5). Em Mateus 3:11, João Batista profetizou que Jesus batizaria sua igreja no Espírito Santo e no fogo. Como vemos em Atos 2:3, o fogo do Espírito Santo separou e pousou sobre cada um, dando poder à primeira igreja.

Fogo, o poder de Deus, estava por toda parte no livro de Atos. É um livro de fogo. Se quisermos ter um ministério que abale o mundo, também precisamos ter o fogo do Espírito Santo. As pessoas não se sentem atraídas por fumaça ou meras brasas. Como Deus disse a Zacarias: "Não por força nem por violência, mas pelo meu Espírito" (Zacarias 4:6).

A vida das pessoas também não é transformada por programas.

Àqueles que insistem que os dias do Espírito Santo estão contados, eu gostaria de perguntar por que Deus geraria a igreja e a deixaria sem poder. Tenho certeza de que Joel 2 e Atos 2 não tiveram seu clímax na Sala Superior, mas aquilo foi apenas o começo.

É absolutamente essencial que lutemos pela unção do Espírito para o nosso ministério. O fogo ou nos consumirá ou nos dará poder; a decisão é nossa. Mas não podemos ministrar sem ele. Se a unção do Espírito Santo foi essencial ao sucesso do ministério de Jesus, ela é essencial também para nós.

Eu estava falando numa igreja em Houston, no Texas, quando algo incomum aconteceu. Foi entre o primeiro e o segundo cultos; eu estava passando algum tempo orando nos bastidores após o pastor iniciar o segundo culto. Assim que a adoração começou, entrei pelo fundo do santuário e comecei a andar em direção ao palco. Eu mal tinha colocado o pé no santuário quando congelei. A mais ou menos um terço do caminho até o palco, vi algo que parecia um raio de luz ou uma aura suspensa diretamente sobre a congregação. Fiquei parado ali por alguns minutos, tentando entender o que estava acontecendo.

Quando alcancei o palco, olhei para a pessoa que entendi ter sido separada pelo Espírito Santo. Dessa vez, em lugar de ver uma luz, vi o que parecia ser óleo derramado sobre a cabeça do jovem. Não demorei em discernir que essa pessoa tinha sido escolhida pelo Espírito Santo para ministrar numa área específica de unção.

Depois do culto, a maioria da congregação tinha partido, e voltei para o fundo da igreja a fim de me preparar para o voo de volta para casa. Para a minha surpresa, o jovem ungido estava ali esperando por mim para conversar. Pedi sua permissão para profetizar sobre seu ministério. Como fiquei sabendo, ele era um líder de adoração num grande ministério de jovens da nação.

Desde aquele dia, Fernando Alvarez tem viajado comigo em numerosas ocasiões e liderado a adoração na maioria das nossas conferências e eventos. Ele também lidera a adoração e fala em grandes igrejas em toda a nação e ao redor do mundo.

Não foi difícil saber que Fernando era ungido; tudo que tive que fazer foi seguir o rastro de óleo.

## Descansando no poder de Deus

Unção — que palavra incrível! É o beijo de Deus. É o Espírito Santo que anuncia que tudo pode acontecer porque Deus está presente. É a revelação de que algo poderoso está prestes a acontecer. É a consciência de que Deus está nesse lugar. É a presença de Deus que jamais poderá ser reproduzida por qualquer poder humano. É o cheiro do perfume do Espírito Santo que paira no ar quando ele passa por nós.

Paulo descreveu perfeitamente a unção pelo Espírito Santo em 1Coríntios 2:1-5:

> Eu mesmo, irmãos, quando estive entre vocês, não fui com discurso eloquente nem com muita sabedoria para lhes proclamar o mistério de Deus. Pois decidi nada saber entre vocês, a não ser Jesus Cristo, e este, crucificado. E foi com fraqueza, temor e com muito tremor que estive entre vocês. Minha mensagem e minha pregação não consistiram de palavras persuasivas de sabedoria, mas consistiram de demonstração do poder do Espírito, para que a fé que vocês têm não se baseasse na sabedoria humana, mas no poder de Deus.

Tudo que a carne pode produzir é fraqueza, medo e tremor, mas o Espírito produz o poder de Deus.

Em sua autobiografia, o grande evangelista Charles G. Finney relata uma experiência que teve no outono de 1821.

> [...] quando me virei e estava prestes a me sentar junto ao fogo, recebi um poderoso batismo do Espírito Santo. Sem qualquer expectativa, sem jamais ter passado pela minha mente que poderia existir algo assim para mim, sem qualquer lembrança de jamais ter ouvido isso ser mencionado por qualquer pessoa no mundo, o Espírito Santo desceu sobre mim de maneira que parecia atravessar meu corpo e minha alma. Eu podia sentir como se uma onda

de eletricidade estivesse passando por mim. Na verdade, parecia vir na forma de ondas de amor líquido; eu não tenho outras palavras para explicá-lo. Parecia ser o sopro de Deus. Lembro-me de que parecia me refrescar, como asas imensas. Não existem palavras para expressar o amor maravilhoso que foi derramado em meu coração. Chorei em alta voz de alegria e amor; e eu literalmente gritei os gemidos indizíveis do meu coração. As ondas me cobriram, uma após a outra, até eu gritar: "Eu morrerei se essas ondas continuarem a me cobrir". Eu disse: "Senhor, não aguento mais"; mas eu não temia a morte. Não sei por quanto tempo continuei nesse estado, com esse batismo passando por mim. Mas sei que era tarde da noite quando um membro do meu coro — pois eu era o líder do coro — entrou no escritório e me encontrou nesse estado de choro e me disse: "Senhor Finney, o que o acomete?". Não consegui responder por um bom tempo. Ele perguntou: "O senhor está sentindo dores?". Eu recuperei minha postura da melhor maneira possível e respondi: "Não, mas estou tão feliz que não consigo viver".

É como Kathryn Kuhlman diria frequentemente em suas cruzadas várias décadas atrás: "O Espírito Santo pode fazer mais num segundo do que eu numa vida inteira". É uma lição que todos nós devemos aprender.

É impossível liderar de modo diferente se você não liderar com a unção do Espírito Santo.

CAPÍTULO **13**

# Lidere
# com vulnerabilidade

*Toda postura de defesa e todo tumulto*
*emocional é uma reação de medo à sua*
*necessidade de aceitação e controle*
*inescrupuloso sobre o território de seu*
*seguro mundo de fantasia.*

**Bryant McGill**

postura de defesa é um traço que me vem de forma natural. Ela estava profundamente inserida em minha natureza pelas ações e pela genética dos meus avós antes de mim e teve sua origem em meu primeiro avô, Adão. Quando Deus o confrontou no jardim sobre sua natureza pecaminosa recém-adquirida, sua resposta foi: "A mulher que tu me deste me fez pecar!". Uau! Adão pensou rápido. Mas é um clássico que tenho usado desde então.

É claro, a mulher também foi rápida em jogar a culpa em outro ser, naquela serpente do diabo, e até hoje os descendentes de Adão e Eva são adeptos de jogar a culpa nos outros.

Vou lhe contar uma boa história da minha própria vida. Eu estava na fila de um restaurante quando uma garçonete se virou rapidamente para tirar mais pratos de uma mesa e se chocou contra mim. Essa moça derrubou uma bandeja inteira de restos de caranguejos sobre um casal sentado ali perto. Ela explodiu num ataque contra mim: "Você viu o que fez?". A garçonete estava irritada e avançando, como que querendo chegar perto o suficiente para me bater. Eu tenho sido culpado por muitas coisas durante a minha vida, mas isso era uma novidade. Minha única culpa nesse acidente tinha sido esperar na fila. Em vez de admitir que ela não conseguiu me ver por causa da carga em sua bandeja, ela descontou sua raiva em mim. Eu era inocente e estava sob falsa acusação!

## Quem você culpará dessa vez?

Nos quarenta anos desde então, tenho tido muitas oportunidades de realmente errar em muitas, muitas ocasiões. E eu sabia inventar desculpas melhores do que qualquer um. Também tive minhas oportunidades de apontar um dedo acusador para a pessoa mais próxima, gritando: "Viu o que você fez?".

Alguns anos após o nascimento dos nossos filhos, levei minha esposa Devi e nossos dois filhos Aaron e Trina para um *drive-thru* da A&W Root Beer. (Na época, era difícil encontrar uma cidade que não tivesse um restaurante da A&W Root Beer.)

A garçonete fixou a bandeja na janela do nosso carro. Havia frango, hambúrgueres, batatas fritas e bebidas, e eu estava prestes a atacar a comida quando minha filha no banco traseiro disse: "Pai, você poderia abrir a minha janela? Estou com calor". Você pode imaginar as consequências trágicas desse pedido. Em vez de apertar o botão da janela dela, eu apertei o da minha janela. A bandeja pendurada na janela se inclinou e caiu. O ketchup parecia ter pintado toda a porta do carro. Batatas fritas e carne se espalharam por todo lado. Todas as garçonetes interromperam o que estavam fazendo e vieram correndo para ajudar.

Irritado, eu me virei e estava prestes a dizer: "Trina, viu o que você me levou a fazer?". Devi, minha esposa, disse: "Quem você vai culpar dessa vez?".

É incrível como a nossa nação e o nosso mundo estão cheios de pessoas que não podem ser culpadas por suas ações. A culpa é sempre de outra pessoa. Eu sou apenas a vítima. "Estou na prisão porque meu pai era viciado em drogas." "Sou viciado em drogas porque meus pais eram abusivos, e eu recorri às drogas para lidar com a dor." "Sou uma pessoa amargurada porque fui abandonada na infância." "Meu casamento fracassou porque meu marido me traiu." "A razão pela qual me atrasei e fui demitido foi um engarrafamento." "Perdemos o jogo porque temos um técnico ruim." "Comecei a beber por causa do divórcio dos meus pais."

A culpa é sempre do outro; nunca minha. Ah, é? Por que relutamos tanto em assumir responsabilidade e tendemos a culpar outra pessoa com tanta facilidade? Que tipo de medo nos domina tanto que nunca assumimos uma responsabilidade?

Líder e candidato à liderança, ouça-me, por favor! Você não terá um crescimento espiritual e emocional saudável se for uma pessoa defensiva. A postura defensiva pega você em qualquer lugar. Ela compromete sua carreira e seus relacionamentos pessoais. Devi, minha esposa, acredita que ela é o inimigo número um da intimidade num casamento. Tendo a concordar com ela. Evidentemente, ela sabe, porque convive comigo.

## Repassando responsabilidade ou culpa para outra pessoa

A postura defensiva repassa sua responsabilidade ou culpa para outra pessoa. Ela diz:

- "Eu já sei o que você vai me dizer, então não estou interessado em ouvir". A reação dessa pessoa a qualquer sugestão é automaticamente: "Sei, sei".
- "Não fui eu. O culpado é outra pessoa".
- "Se você acha que eu estou errado, você está errado".
- "Jamais assumirei a culpa ou a responsabilidade".
- "Eu culpo os outros por meu problema e me considero uma vítima".
- "Eu prefiro culpar você a passar pela dor da mudança".
- "Prefiro permanecer teimoso a admitir que esteja errado e crescer".

Pessoas defensivas nunca querem aprender. Elas adoram argumentar e preferem permanecer em um estado de imaturidade espiritual. Em outras palavras, elas não *crescem*. Se você não estiver crescendo, está frustrando o plano de Deus para a sua vida.

Falando nisso, pessoas defensivas repudiam instrução. Elas acreditam que já aprenderam tudo que precisavam aprender.

Meu filho estava num time de basquete que nunca ganhava um jogo. Toda noite ele voltava do treino derrotado, desanimado e pronto para desistir. Todo dia ele culpava uma garota de sua equipe pela derrota. Jamais cogitou a possibilidade de que ele poderia ser parte do problema. Eu me pergunto de quem ele herdou sua postura defensiva... Deve ter sido de sua mãe.

## Por que somos defensivos?

- Queremos passar uma boa impressão.
- Tememos que as pessoas nos desprezem se admitirmos nossas fraquezas ou erros.

- É uma maneira de controlar nosso futuro.
- É uma maneira de evitar vulnerabilidade.
- É uma maneira de evitar responsabilidade.

Muitas vezes nossa postura defensiva nos leva a recrutar a ajuda de outros para nos defender. Fazemos jogos de política no escritório, efetuamos ligações e escrevemos memorandos para defender a nós mesmos. Executivos guardam arquivos volumosos que podem servir no futuro para mantê-los isentos de culpa. Até contratamos advogados de defesa para nos proteger.

No jardim do Éden, o que aconteceu não foi apenas um pecado. Homem e mulher começaram a jogar o jogo da culpa. Foi também quando começaram a cobrir sua nudez com folhas de figueira, a prova do seu pecado.

Certa vez, trouxe um jovem ministro muito talentoso para o meu escritório. Meu objetivo era ajudar-lhe com sua apresentação. Ele tinha demonstrado traços alarmantes que eram negativos e destrutivos. Eu me sentia pessoalmente responsável por ele, pois o tinha recomendado a vários pastores, e nenhum deles quis convidá-lo novamente. Pensei que, se trouxesse algumas coisas à sua atenção, elas poderiam ser facilmente corrigidas, e ele conseguiria ver os avanços.

Assim, nós nos encontramos, e comecei a apresentar minhas preocupações:

— Você ultrapassa muito o tempo que lhe é concedido para falar, ignorando o pedido do pastor. As congregações e os pastores estão tendo a impressão de que você é contra a igreja, e eles não estão interessados em tê-lo de volta. Algumas de suas doutrinas são questionáveis, mas você não se mostra disposto a ouvir as preocupações dos outros.

Por alegar que tinha ouvido diretamente de Jesus, ele instantaneamente rejeitava qualquer comentário ou orientação sobre sua ortodoxia doutrinal. Ele estava certo, e todos os outros estavam errados. Afinal de contas, quem pode argumentar com uma pessoa que joga na mesa a carta "Jesus me disse"?

Sua resposta foi:

— Nunca fui tão machucado — em outras palavras, "Sou uma vítima. Estou magoado, por isso não aceitarei nada daquilo que você disse".

A postura defensiva atribui a culpa aos outros. A culpa é sua porque você me machucou.

A questão é esta: se você não assumir responsabilidade, não há como mudar qualquer coisa. Você jamais pode mudar outra pessoa; você só pode mudar a si mesmo. Se outra pessoa é o problema, não há esperança para o seu futuro. É apenas quando assumimos pessoalmente a responsabilidade que uma mudança é possível e provável.

Parece ser da natureza humana, certo? A culpa nunca é minha. Adão fez isso. Eva fez isso. Saulo fez isso. Arão fez isso. As pessoas no Novo Testamento fizeram isso.

## Espiritualizando sua desobediência

Quando Saulo não matou todos os amalequitas como havia instruído Samuel, disse:

Mas eu obedeci ao Senhor! Cumpri a missão que o Senhor me designou. Trouxe Agague, o rei dos amalequitas, mas exterminei os amalequitas. Os soldados tomaram ovelhas e bois do despojo, o melhor do que estava consagrado a Deus para destruição, a fim de os sacrificarem ao Senhor seu Deus, em Gilgal. (1Samuel 15:20,21)

Nesse exemplo, Saulo declarou que o povo era o problema, apesar de sua própria desobediência ter sido o problema. Ele alegou que *o povo* quis poupar os animais para que *o povo* pudesse oferecer sacrifícios a Deus. Ele até tentou espiritualizar sua desobediência. Observe que ele se referiu ao Senhor como o Deus de Samuel: "o Senhor **seu** Deus", absolvendo a si mesmo de qualquer responsabilidade na desobediência.

Acho que Arão, o irmão de Moisés, teve uma desculpa muito melhor quando produziu o bezerro dourado: "O povo trouxe-me o ouro, eu o joguei no fogo e surgiu esse bezerro" (veja Êxodo 32). A verdade é que Arão tinha esculpido o ídolo com suas próprias mãos e então teve a ousadia de culpar o povo contando uma história ultrajante.

O Novo Testamento oferece um exemplo maravilhoso de uma alma defensiva. Em Mateus 25:24, o homem de um talento só enterrou seu talento. Quando foi chamado para prestar contas, disse: "Eu sabia que o senhor é um homem severo, que colhe onde não plantou e junta onde não semeou. Por isso, tive medo, saí e escondi o seu talento no chão. Veja, aqui está o que lhe pertence".

Ele até teve a audácia de chamar seu mestre de um homem duro, insensato, exigente e insensível. Um mestre versado na arte de atribuir culpa a outra pessoa, enquanto os dois outros compatriotas não defensivos estavam ganhando dinheiro com seu dinheiro.

## O corço para aqui

Temos um ditado nos Estados Unidos: "Passe o corço[1]". Você conhece sua origem? O jogo de pôquer se tornou muito popular nos Estados Unidos durante a segunda metade do século 19. Os jogadores suspeitavam de que os outros trapaceavam, e existem muitas imagens que mostram atiradores em duelos causados por acusações de ter trapaceado ao dar as cartas. A fim de evitar injustiças, os jogadores que davam as cartas mudavam durante as sessões. A próxima pessoa a dar as cartas recebia um marcador. Muitas vezes, era uma faca, e as facas tinham cabos feitos de chifre de corço, — e o marcador veio a ser chamado de corço. Quando o jogador tinha dado as cartas, ele "passava o corço".

O presidente Truman tinha uma placa em sua escrivaninha que dizia: "O corço para aqui", ou seja, parem de passar a faca. A faca para aqui. Eu assumo toda a responsabilidade por minhas ações.

Acredito que o presidente Truman tenha sido o primeiro político na história disposto a assumir responsabilidade. Você faz ideia de como é edificante ver um político assumir a culpa por algo? É um milagre quase tão grande quanto a travessia do mar Vermelho.

Creio que uma das razões pelas quais Deus decidiu se revelar a Isaías, o profeta, foi sua disposição de dizer: "Fui eu! Eu sou o pecador, eu sou o culpado".

"Ai de mim! Estou perdido! Pois sou um homem de lábios impuros e vivo no meio de um povo de lábios impuros; e os meus olhos viram o Rei, o Senhor dos Exércitos" (Isaías 6:5).

---

[1] Pequeno veado.

Semelhantemente, Daniel, Davi e Ezequiel foram rápidos em admitir seus pecados.

## Defendendo outros

Se você ainda não percebeu como tendemos a defender outros, especialmente nossos filhos, assista a um jogo de beisebol da liga infantil. A segurança dos técnicos e árbitros está em jogo quando um pai defensivo assiste ao jogo. "Seu idiota, você não viu que ele alcançou a primeira base? Vê se arruma um óculos!".

Eu não sou apenas um adepto de defender a mim mesmo, sou também bom em defender outros. Muitas vezes, defendo meus filhos, minha família, amigos e até pessoas desconhecidas sem perceber que, ao defender o mau comportamento de alguém, impeço que ele assuma responsabilidade pessoal. Justamente aquilo que é necessário para permitir o amadurecimento de uma pessoa é frustrado por minha defesa inapropriada. Nossa tendência a defender é tão forte que não estamos dispostos a permitir que alguém assuma responsabilidade por suas ações.

Assim que um garoto é preso por um crime, seus pais se apressam para defendê-lo: "Não pode ter sido o nosso menino"; "Ele é um bom menino, não pode ter feito isso". Não, ele não foi um bom menino, e foi ele quem fez aquilo.

Anos atrás, Devi e eu estávamos servindo como pastores associados numa igreja em Oakland, na Califórnia. Depois do culto, fomos pegar Trina na creche da igreja, apenas para descobrir que a nossa linda filhinha tinha mordido a mão de um garoto com tanta força que as marcas dos dentes ainda eram visíveis uma hora depois. Evidentemente, o garoto não tinha entendido que, quando a Trina disse "meu", ele deveria ter-lhe dado o brinquedo imediatamente. Eu não pude acreditar que minha adorável filha com os cachos lindos e o sorriso fofo era capaz de tal atrocidade. Nossa filhinha estava se transformando em uma canibal. Meus primeiros pensamentos foram: "Não pode ter sido a nossa menininha. Deve ter sido o filho de outro casal". Se as marcas dos dentes não tivessem parecido ser dela, eu creio que teria negado o ocorrido até hoje. Quero perguntar à minha filha algum dia: "Trina, você se lembra de quando tinha dois anos de idade e mordeu a mão do garotinho, quase a amputando?". É provável que ainda hoje ela seria proibida de entrar naquela creche. Vejamos se ela é defensiva.

Na nossa cultura, as pessoas se negam completamente a admitir que são o problema. Ninguém quer assumir responsabilidade, e isso é um problema. Culpamos todos, menos nós mesmos. E isso é um problema. Gostamos tanto de nos defender que não queremos ninguém assumumindo responsabilidade por suas ações, a começar conosco mesmo.

Minha sagaz esposa Devi diz: "A postura defensiva é o inimigo número um da intimidade". Ela está absolutamente certa. Não pode haver intimidade num casamento ou em qualquer outro relacionamento enquanto permanecermos na defensiva.

## Defesa zero

A pessoa mais não defensiva que já viveu foi também a única pessoa sem pecado que já viveu. Jesus Cristo, nosso grande Sumo Sacerdote, nunca defendeu a si mesmo.

"... Como uma ovelha que diante de seus tosquiadores fica calada, ele não abriu a sua boca" (Isaías 53:7).

1Pedro 2:22,23 diz: "Ele não cometeu pecado algum, e nenhum engano foi encontrado em sua boca. Quando insultado, não revidava; quando sofria, não fazia ameaças, mas entregava-se àquele que julga com justiça".

Outro sinal claro de uma postura defensiva é argumentar, mas Jesus também não fez isso (Mateus 12:19). Ele nunca gritou, nunca argumentou, nunca elevou sua voz.

Meu amigo Joe me contou de uma reunião corporativa da qual ele participou recentemente e que expôs perfeitamente a natureza defensiva das pessoas:

> Eu estava numa reunião de projeto para um programa de planejamento financeiro que lançamos no ano passado. À medida que a reunião avançava, aos poucos começamos a sentir um frio aterrorizante. Percebemos que o produto seria lançado incompleto e sem uma função central. A sala ficou em silêncio. A linguagem corporal de todos me dizia que eles estavam rapidamente passando para o modo de acusação e assumindo uma postura defensiva para se proteger da culpa. Eu disse: "OK, a expressão de todos vocês está me dizendo que agora estamos completamente focados em quem deve ser acusado. Ajudaria se eu assumisse a culpa neste momento?" (O projeto era meu, portanto, independentemente de quem tinha cometido o erro, a responsabilidade era minha.) Os olhares eram mistos — alguns se mostraram aliviados e outros estavam tentando entender qual era a pegadinha. Então eu disse: "Vejam: enquanto tentamos descobrir quem é o culpado, não estamos focados

Lidere com vulnerabilidade

no problema, nem o estamos resolvendo, e mesmo se concordássemos sobre quem deve ser acusado, isso não mudaria o que devemos fazer para consertar essa situação. Para que isso aconteça, preciso que todos se concentrem, portanto, concordemos que a culpa é minha e vamos em frente". Gastamos mais ou menos outros dois minutos discutindo e então passamos para a fase de consertar o problema. O engraçado é que ninguém realmente se irritou com aquilo e, já que não argumentamos sobre isso, o assunto só foi tratado mais uma vez (com meu chefe), e ele disse a mesma coisa: contanto que você conserte o problema, eu não tenho problema nenhum com isso.

De todos os "problemas" que alguém que imitou o espírito de Jesus possa ter, este é o mais perfeito que consigo imaginar: Jesus assumiu toda a culpa e a levou para a cruz.

No Antigo Testamento, foi escolhido um dia especial, o Dia da Expiação. Nesse dia, todos os pecados que Israel tinha cometido no ano anterior deviam ser expiados. Mas a coisa incomum era que, em vez de escolher um animal como oferta pelos pecados, dois animais eram escolhidos. Um dos bodes, porém, não era sacrificado, mas solto no deserto para que vagasse para sempre até morrer de causas naturais. O bode libertado era chamado de "Azazel", o "bode expiatório".

A Bíblia diz que Jesus não só purificou nossos pecados, mas também os removeu, como o bode expiatório (Salmos 103:12). A única pessoa sem pecado que já viveu tomou todos as nossas desculpas, justificativas, defesas e atribuições de culpa e as removeu para sempre. Você nunca mais precisa ser defensivo. Ouço um "amém" na casa?

## Quem é seu defensor?

A uma vizinha levemente perturbada (estou tentando ser legal dizendo "levemente") que me acusava de jogar as folhas da minha árvore em seu jardim, eu respondi:

— Eu não joguei as folhas no seu jardim. Você jogou as suas folhas no meu jardim.

Evidentemente, ela respondeu de forma igualmente madura:

— Seu mentiroso! Foi você.

— Não, não fui eu.

— Sim, foi você, e você é um mentiroso.

Então ela aplicou o golpe baixo:

— E você é um pastor.

— Sim, eu sou um pastor, e pastores não mentem.

(Bem, isso era uma mentira. Pastores mentem o tempo todo.)

Como você poderia responder a uma vizinha levemente perturbada que o acusa de mentir? Eu respondi da única maneira que minha natureza defensiva conhecia: "Não, não estou mentindo, a mentirosa é você". Por que eu não calei a boca no momento em que ela me acusou? Acho que é porque eu sou mais bode do que ovelha por natureza. Por que eu não pude assumir a responsabilidade e dizer: "Eu sinto muito. Isso não acontecerá de novo"? Por que a minha natureza humana tem esse instinto de fugir de toda acusação? Por que não consigo assumir responsabilidade e tomar a culpa sobre mim mesmo?

Ron Campbell, outro amigo meu, um profeta da região de Dallas, fez uma sugestão maravilhosa: "Se você pudesse encontrar a pessoa responsável por todos os seus problemas e

Lidere com vulnerabilidade | **259**

lhe dar um chute no traseiro, é provável que não conseguiria se sentar numa cadeira por uma semana!". A coisa engraçada foi que eu li sua postagem no Facebook e, imediatamente em seguida, li a de uma pessoa defensiva que explicava por que meu amigo estava errado, provando assim o seu argumento.

Ainda fico atônito ao ler a resposta de Isaías após ver a visão do Senhor em Isaías 6: "Sou eu, Senhor". Essa é a postura que desejo ter sempre.

## Jesus, nosso advogado de defesa

Jesus se recusou a defender a si mesmo diante de seus acusadores. Se a única pessoa que nunca pecou conseguiu permanecer em silêncio ao ser atacada, então nós também podemos. Se você estiver errado, não precisa se defender. Você está errado. Se você estiver certo, não precisa se defender. Você está certo.

Jesus é a nossa defesa, e o Espírito Santo é a nossa defesa, por isso você nunca precisa defender a si mesmo. Quando estiver na presença de Jesus no dia do juízo, você não conseguirá dizer uma única palavra em sua defesa.

Jesus é nosso advogado de defesa perante o Pai, e o Espírito Santo é nosso advogado de defesa perante Jesus. Não há necessidade de defender a si mesmo. Se Jesus e o Espírito Santo não forem bons o suficiente para defendê-lo, você tem poucas chances de ser bem-sucedido ao defender-se.

Muitos anos atrás, reuni toda a minha equipe de liderança da igreja para a nossa reunião mensal. Querendo parecer totalmente aberto e vulnerável, perguntei ao grupo: Existe alguém que queira compartilhar alguma coisa referente ao meu estilo de liderança? Eu tinha certeza de que um ou dois teriam algo a compartilhar que melhoraria minha liderança. Não achava que todos os vinte teriam algo a dizer.

A maioria das sugestões era banal ou não incluía detalhes úteis. Uma, porém, foi inescrupulosa. Meu administrador usou artilharia pesada e me deixou chocado.

— Você não ouve ninguém. Você é totalmente defensivo. Se tentamos corrigi-lo, você dá as costas para nós. Você não quer aprender nada.

Ele não me poupou, nem mesmo as minhas emoções frágeis.

Quando ele terminou, eu estava devastado. Não dormi naquela noite.

No dia seguinte, eu deveria falar numa conferência no Messiah College, apenas poucas milhas de onde eu servia como pastor. Eu me forcei a levantar da cama, exausto da falta de sono, com os olhos inchados de horas de lágrimas e emocionalmente exausto pelo ataque maligno. Entrei no carro e dirigi até o Messiah College com a intenção de pedir ao presidente da conferência que me liberasse do meu compromisso. Mas a coisa mais estranha aconteceu enquanto dirigia até o campus.

Em vez de seguir para a faculdade, era como se uma mão invisível obrigasse meu carro a deixar a autoestrada e me levar até a minha igreja. Dentro dos poucos segundos que precisei para deixar a autoestrada e dobrar as quatro esquinas para chegar ao estacionamento da minha igreja, ouvi a voz inconfundível do Senhor:

— Larry, tentei usar seus inimigos para lhe dizer que você é defensivo. Tentei usar seus amigos para lhe dizer que você é defensivo. Tentei usar sua esposa para lhe dizer que você é defensivo. Agora estou usando seu administrador para lhe dizer que você é defensivo. Se você não ouvir e não lidar com sua postura defensiva, retirarei sua unção.

Eu sabia exatamente do que ele estava falando. Eu sabia que ele não estava falando da minha salvação, mas da eficácia do meu ministério. Eu jamais alcançaria a maturidade plena enquanto permanecesse defensivo. Eventualmente, minha natureza defensiva me custaria minha unção. Eu sabia que Deus não estava brincando.

Estacionei o carro e fui diretamente para o escritório do administrador. Eu lhe agradeci por me repreender, por apontar minha postura defensiva e até por arriscar seu emprego ao me confrontar. Eu me senti liberto. Era como se correntes de ferro tivessem caído de mim.

Fui para a conferência, mas, em vez de me licenciar, levantei e comecei a profetizar com o palestrante da África do Sul. Eu jamais tinha feito aquilo em toda a minha vida! Não tenho dúvidas de que a medida de unção correspondia à medida de arrependimento por minha postura defensiva vitalícia.

Bryant McGill diz: "Você consegue chegar a um lugar em que você vê claramente; esse lugar se chama defesa zero". É o lugar no qual quero estar. E você? Bons líderes não defendem a si mesmos.

CAPÍTULO **14**

# Lidere

# com compaixão

*Muitas vezes subestimamos o poder de um toque, de um sorriso, de uma palavra gentil, de um bom ouvido, de um elogio sincero ou do menor ato de preocupação. Todos eles têm o potencial de mudar uma vida.*

**Leo Buscaglia**

Como aluno da Palavra, sempre me fascinei pelas joias escondidas nas Escrituras. Você pode não vê-las numa leitura superficial, mas, se procurá-las, elas estão ali para você. Durante anos, por exemplo, me perguntei por que Jesus chamou a si mesmo de "Filho de Deus" apenas raras vezes. Outros o chamavam de Filho de Deus, mas Jesus não o fazia, preferindo referir-se a si mesmo como Filho do Homem. Em algumas traduções da Bíblia, "Filho do Homem" é escrito com letras maiúsculas. Não tenho certeza se Jesus teria feito isso.

- O diabo disse a Jesus: "Se você é o Filho de Deus" (Mateus 4:3).
- Os demônios disseram: "Tu és o Filho do Deus Altíssimo" (Lucas 8:28).
- O anjo Gabriel chamou Jesus de "Filho do Deus Altíssimo" (Lucas 1:32).
- Os discípulos chamaram Jesus de "Filho de Deus" (Mateus 14:33).
- Pedro chamou Jesus, o Cristo, de "Filho do Deus vivo" (Mateus 16:16).

Lidere com compaixão | **265**

- O centurião chamou Jesus de "Filho de Deus" (Marcos 15:39).
- Deus chamou Jesus de "seu Filho" (Marcos 1:11).
- Marcos chamou Jesus de "Filho de Deus" (Marcos 1:1).
- Espíritos impuros chamaram Jesus de "Filho de Deus" (Marcos 3:11).
- Natanael chamou Jesus de "Filho de Deus" (João 1:49).
- João Batista chamou Jesus de "Filho de Deus" (Marcos 1:34).

Veja se você sabe me responder esta pergunta: Por que tantas pessoas chamaram Jesus de Filho de Deus, mas ele raramente se referiu a si mesmo dessa maneira? Parece que praticamente todos chamaram Jesus de Filho de Deus — todos, menos Jesus! Jesus se refere a si mesmo como "Filho" em João 3:35,36; 5:19-23,26, mas apenas em três ocasiões ele se chamou de Filho de Deus (João 5:25; 6:40 e 11:4).

Em comparação, Jesus se refere a si mesmo como "Filho do Homem" 83 vezes nos evangelhos.

Caifás tentou obrigar Jesus a admitir sua verdadeira identidade:

> "'Exijo que você jure pelo Deus vivo: se você é o Cristo, o Filho de Deus, diga-nos'. 'Tu mesmo o disseste', respondeu Jesus. 'Mas eu digo a todos vós: chegará o dia em que vereis o *Filho do Homem* assentado à direita do Poderoso e vindo sobre as nuvens do céu'" (Mateus 26:63,64, grifo meu).

Observe como Jesus devolve a pergunta a Caifás, mas com uma resposta que confirma suas declarações anteriores:

"Chegará o dia em que vereis o *Filho do Homem*". Jesus não sabia que ele era o Filho de Deus? É claro que sabia. Em várias ocasiões Jesus afirma abertamente que ele é o Filho de Deus. Por que, então, ele se refere a si mesmo na maioria das vezes como Filho do Homem?

## O Filho do Homem fala sobre si mesmo

Aqui estão apenas algumas das 83 passagens em que Jesus se referiu a si mesmo como o Filho do Homem.

- **Mateus 8:20:** "Jesus respondeu: As raposas têm suas tocas e as aves do céu têm seus ninhos, mas o *Filho do Homem* não tem onde repousar a cabeça".
- **Mateus 9:6:** "Mas, para que vocês saibam que o *Filho do Homem* tem na terra autoridade para perdoar pecados".
- **Mateus 12:8:** "Pois o *Filho do Homem* é Senhor do sábado".
- **Mateus 12:40:** "Pois assim como Jonas esteve três dias e três noites no ventre de um grande peixe, assim o *Filho do Homem* ficará três dias e três noites no coração da terra".
- **Mateus 16:13:** "Chegando Jesus à região de Cesareia de Filipe, perguntou aos seus discípulos: Quem os homens dizem que o *Filho do Homem* é?".
- **Mateus 25:31:** "Quando o *Filho do Homem* vier em sua glória, com todos os anjos, assentar-se-á em seu trono na glória celestial".

Parece que, quando você é o Filho de Deus, não gosta muito de falar sobre o assunto. Em vez disso, milagres o provam, o

Lidere com compaixão | **267**

Pai o prova, todos os discípulos o provam, e os demônios, para sua própria vergonha, o admitem. Mas a verdade é que, quando você é o Filho do Homem, não tem outra escolha senão sangrar, chorar, tocar, sofrer, simpatizar e demonstrar compaixão. É mais do que aquilo que você faz; é o que você é e parte da sua essência.

## Compaixão: sofrer com alguém

Não considero necessário dizer a todos que sou cristão. Prefiro demonstrar o coração de Jesus, um coração de compaixão. Nada demonstra o caráter de Jesus mais do que sua compaixão por aqueles que sofrem, que estão doentes, que são desdenhados e rejeitados, marginalizados e impuros para a sociedade. Quando a humanidade vê os atos de Jesus, quando vê seus milagres profundamente compassivos, o que a humanidade deve concluir?

A palavra "compaixão" significa literalmente sofrer com alguém. Como Paulo disse, quando um membro do corpo sofre, todos nós sofremos (1Coríntios 12:26). Isaías 53:4 diz: "Certamente ele tomou sobre si as nossas enfermidades e sobre si levou as nossas doenças". A mesma passagem citada em Mateus 8:17 diz: "Ele tomou sobre si as nossas enfermidades e sobre si levou as nossas doenças".

Jesus não veio para este mundo para nos mostrar quão grande e poderoso Deus é. Ele veio para revelar o amor e a compaixão do Pai. Ele era o Filho de Deus, mas veio para se revelar como o Filho do Homem. Ele veio para mostrar o quanto o Pai ama aqueles que sofrem, que estão doentes, deprimidos e desdenhados.

Ele veio para chorar e sofrer conosco, não para nos repreender por nosso choro.

Agora, ouça isto! Temos o mesmo mandato de Jesus. Apesar de também sermos filhos de Deus por meio do nosso novo nascimento e batismo em Jesus Cristo, nosso chamado não é atrair atenção para a nossa identidade, mas para revelar nossa compaixão. Temos uma obrigação de nos tornar filhos do homem para que as pessoas possam ver o Filho de Deus em toda a sua glória compassiva. Se não revelarmos o amor de Deus por meio da nossa compaixão, as pessoas jamais verão a Deus.

A palavra grega para compaixão vem da raiz da palavra que significa "baço". Os antigos acreditavam que o baço era o órgão mais sensível em nosso corpo. Essa compaixão provém da parte mais profunda das nossas emoções. Quando alguém sofre, nós abraçamos sua dor.

É interessante observar que, nas culturas antigas, o baço de uma vítima sacrificial era o órgão mais importante a ser sacrificado.

## A compaixão de Cristo

Contemple a profundeza da compaixão de Jesus:

- Ele permitiu que leprosos o tocassem, tornando-o impuro.
- Ele permitiu que uma mulher com uma hemorragia tocasse sua roupa, também tornando-o impuro.
- Ele tocou as multidões com suas mãos, certamente se expondo ao perigo de contaminação.
- Ele segurou as crianças em seus braços e as abençoou.

Lidere com compaixão | **269**

- Ele se deleitava em estar na presença de pecadores.
- Ele se revelou aos marginalizados pela sociedade.
- Ele tinha compaixão pelas multidões sem pastor.
- Ele chorou no túmulo de Lázaro.
- Ele chorou sobre Jerusalém.
- Ele teve compaixão pela mãe em luto.
- Ele teve compaixão pela multidão que o seguira por três dias sem comida.
- Ele salvou uma mulher adúltera da morte por apedrejamento.

Como você pode ver, Jesus tomou sobre si as doenças, o pecado e as preocupações das pessoas, algo que o clero moderno provavelmente consideraria repugnante e desagradável. Jesus julgou essas pessoas? Não! O coração e a intenção de Jesus eram compaixão. Essa compaixão irrompia em palavras e ações, tocou corações e curou corpos. Não, Jesus não veio para julgar, mas para curar e restaurar. Nesses poderosos atos de amor e cura não havia espaço para julgamento.

A esposa de um amigo pastor contou a seguinte história: eles estavam visitando uma igreja grande e, durante o culto, todos os visitantes foram convidados para a sala de recepção se quisessem conhecer um dos pastores. Enquanto seu marido foi conferir outra parte do programa da igreja, a esposa foi até a sala de recepção. Ela queria descobrir como uma megaigreja fazia as pessoas se sentirem bem-vindas. No entanto, para seu horror, ela viu como o pastor imediatamente lavava suas mãos com um higienizador após cumprimentar cada visitante. Mesmo assim, ela lhe estendeu sua mão. Antes de apertá-la, o pastor hesitou. Ele ainda estava higienizando sua mão após cumprimentar a última pessoa.

Imagine Jesus fazendo isso. É difícil de imaginar, não é? Jesus assumiu as doenças, as fraquezas e as feridas profundas daqueles que tocava. Ele tomou tudo sobre si voluntariamente. Um pastor desse tipo jamais deveria ir aos pobres e sofredores em outros países. Tampouco o medo do pastor de assumir doenças, parasitas e problemas dos doentes e quebrantados deveria ser mostrado aos que sofrem. Imagine. Imagine Jesus usando higienizador.

## Seu coração criou calos?

Você sabe por que, às vezes, grandes ministérios fracassam? Eu direi. O líder de um ministério em queda se desconectou do seu rebanho. Ele não sofre mais quando as pessoas sofrem, e não sangra quando elas sangram. Ele não sente a dor delas, nem chora quando elas choram. Ele já não larga mais tudo que está fazendo para estar perto dos que estão sofrendo ou para ficar ao lado de alguém que sofre o peso paralisador da depressão. Em certo sentido, ele se tornou espiritualmente preconceituoso, e talvez cínico.

Jesus sabia que o abraço amoroso do Filho do Homem contribuiria mais para a cura da humanidade do que o protecionismo esterilizado dos fariseus. Jesus não temia ser contaminado pelo mundo impuro. Na verdade, o Filho do Homem veio viver entre nós neste mundo impuro para buscar e salvar os perdidos (Lucas 19:10). Jamais devemos esquecer que os perdidos são pessoas sujas.

Temo que os líderes da igreja estejam perdendo sua compaixão pelos perdidos. Estamos tão ocupados sendo "filhos de Deus" religiosos que não temos tempo para ser "filhos do homem". Em 1º de setembro de 2016, um barco de refugiados virou na costa do Egito, e apenas 150 das 600 pessoas puderam ser salvas. Isso não incomoda você? A imagem do pequeno menino que as ondas jogaram numa praia na Turquia o incomoda? Ou talvez a imagem do pai que chora por seus dois filhos? Você se lembra do vídeo do garoto sírio limpando o sangue da sua testa quando o colocaram numa ambulância? Seu irmão já tinha sido morto. Como você reage? Imagine como Jesus reagiria.

Onze milhões de refugiados fugiram da Síria desde o início do conflito em 2011. Alguém ora por eles? Alguém chora por eles? Alguém faz alguma coisa — qualquer coisa — por eles? Há algum "filho do homem" na multidão? Quem decide ir até o refugiado e caminhar com ele? Precisamos entender; precisamos inscrever isso em nossa consciência: fomos chamados para andar ao lado dos refugiados.

Mais de 470 mil já foram mortos no conflito na Síria. Sinto dor no meu ser mais íntimo. Não posso ler isso sem orar, chorar e perguntar a Deus: O *que posso fazer?*

Apesar de não ser a favor da imigração ilegal, eu sou a favor da imigração. Como poderia não ser? Eu era um estrangeiro, e ele me acolheu. Eu estava nu, e ele me vestiu. Eu estava perdido, e ele me encontrou. Eu estava cego, e ele me deu visão. Eu estava preso, e ele me visitou. Essas privações são mencionadas por Jesus em Mateus 25. São descrições de todos nós em algum momento da nossa vida. Agora, não deveríamos ser nós aqueles que vestem, visitam, alimentam e choram sobre as circunstâncias das pessoas que sofrem? Faça isso e você encontrará a alegria da sua salvação.

Estamos com medo de ser contaminados pelo pecado e pela sujeira do mundo? Tememos pegar algo que pode nos matar?

Temos medo de perder nossa reputação ou de ser identificados com pessoas sujas?

Estamos com medo de perturbar nosso confortável estilo de vida ou de ser associados com pecadores?

## Chorar com aqueles que choram

Eu estava no Brasil quando soube que Daniel, filho do pastor David e de Donna Diaz, de Baldwin Park, na Califórnia, tinha sido assassinado. Daniel, pastor de jovens na New Beginnings Church em West Covina, estava dando carona a jovens após um evento da igreja quando alguém na calçada cravou três balas em seu peito. O assassino disse que estava buscando vingança pelo assassinato de seu amigo cometido por um homem latino e escolheu Daniel aleatoriamente, um estranho completo.

Devi, Felipe e eu estávamos no aeroporto nos preparando para embarcar em um avião para Palmas, no Brasil, quando recebemos a notícia da morte de Daniel. Choramos tanto que todos no aeroporto caíram em silêncio e olharam para nós. Eu parti imediatamente para a Califórnia para poder chorar com a família. Não sei se fez algum bem, mas eu precisava estar lá. Era a única coisa que eu sabia fazer. Fiquei ao lado deles e sofri com eles. Eu fiz o que acreditava que Jesus faria. Ele é o meu exemplo. Jesus choraria com a família.

A cada dia são cometidos pequenos atos de crueldade e crimes gigantes contra a humanidade. Os exemplos de compaixão de Jesus iluminam o caminho e nos mostram para onde ir e o que fazer. Quando pessoas sofrem, devemos sofrer com elas. Quando choram, precisamos misturar nossas lágrimas às delas. Quando estão amarradas, precisamos soltar suas amarras; e, quando estão presas, precisamos estar lá, visitando-as. Não se iluda. Não há nada mais autêntico do que sua presença em lugares onde os doentes e quebrantados sofrem. Esteja lá.

Anos atrás descobri que a família de um prisioneiro na Filadélfia estava sendo judiada de forma terrível. A esposa tinha um pequeno supermercado. Ela era assaltada quase que diariamente, e não podia fazer nada para se defender. Bandidos a assaltavam e ameaçavam sua vida constantemente. Ela estava vivendo um pesadelo.

Eu aluguei uma picape e a levei até a Filadélfia, na Pensilvânia. Coloquei a esposa e sua família no carro e as trouxe para a nossa casa. Vivíamos a três horas de sua loja. Alugamos um apartamento, compramos móveis, compramos comida e pagamos o aluguel até seu marido ser solto da prisão. O que estou tentando mostrar é que compaixão não se contenta em dizer "Eu amo você"; ela nos compele a responder até o oprimido receber alívio. A compaixão nos impele a trabalhar, a curar, a comparecer pessoalmente e a *não desistir* até trazermos alívio.

Em Lucas 10, Jesus conta a história de um homem que está caminhando de Jerusalém para Jericó e é assaltado por ladrões. Eles o largam semimorto à beira da estrada. Quando o sacerdote e um levita testemunham o crime, sendo os primeiros a ver a vítima sangrenta, passam para o outro lado da estrada para evitá-lo. O desprezado viajante samaritano, porém, para e oferece cura, alívio e provisões futuras para o homem.

Qual é a opção que Jesus teria escolhido, e qual é a opção que você deveria escolher segundo as poderosas motivações compassivas de Jesus?

## Aja como Jesus agiria

Jesus considerou o samaritano, que teve compaixão com o viajante ferido, maior do que os outros, apesar de serem altamente religiosos. Não jogue a carta religiosa — a carta do "Filho de Deus" — quando alguém está ferido e sangrando. Quando surge a necessidade de compaixão, não é o momento de jogar a carta religiosa do Filho de Deus. Seja o filho do homem. Não corra até seu quarto para orar nesse momento de emergência. Vá cuidar dos ferimentos, edifique a pessoa com a mente perturbada e confusa. Amarre as forças demoníacas e ajude a colocar os feridos na ambulância. Esteja presente.

Nesta semana, vi a imagem de um garoto deitado sem roupas quentes ou coberta nas ruas de uma das nossas cidades. Ele estava congelando enquanto as pessoas passavam por ele, olhando para o garoto que tremia, mas sem fazer nada para esquentá-lo. Ninguém ofereceu um cobertor ou ajuda. As pessoas que passavam devem ter pensado: "O que posso fazer? Existe sofrimento por toda parte". E isso pode ser verdade, mas o garoto que treme de frio está na *sua* frente neste momento e, neste momento, você deve agir como Jesus agiu.

Vários anos atrás, um pastor em Sarasota, na Flórida, decidiu demonstrar para sua igreja o que é compaixão. Ele não vestiu seu terno dominical. Ele se vestiu com as roupas sujas e rasgadas de uma pessoa de rua. Em vez de subir ao palco, ele se deitou na sarjeta perto da entrada do estacionamento da igreja.

Centenas de carros passaram por aquele homem destituído, nojento e aparentemente embriagado na sarjeta para que pudessem entrar na igreja em suas roupas de domingo para adorar a Deus. Quando chegou o momento da pregação, o pastor não apareceu. Em vez disso, um homem sujo e repugnante foi até o púlpito. Para o horror da congregação, o pastor se revelou como o homem na sarjeta. Era mais fácil adorar a Deus do que se sujar tirando alguém da sarjeta suja.

Muitas vezes fazemos nossos próprios julgamentos hipócritas. Alguma vez você já disse: "Por que ele não trabalha? Eu preciso trabalhar para me sustentar"; "Ele deve estar drogado"; "Onde estão seus pais?"; "Ele ser um bêbado não é problema meu; ele só precisa querer ficar sóbrio"? Esses tipos de declarações param o fluxo da compaixão de Deus em você. Reflita sobre isso. Estamos nos escondendo por trás de racionalizações fáceis quando fazemos esse tipo de julgamento? É claro que sim, caso contrário passaríamos pela multidão de espectadores e agiríamos como Jesus.

## Você é um filho do homem ou um filho de Deus?

Anos atrás, passei pela provação mais profunda da minha vida. Em 1980, perdi tudo: meu ministério, meu lar, meu carro, minha renda, meus amigos, minha reputação e quase também a minha sanidade mental. Uma das minhas perdas mais dolorosas foi a perda de confiança para pregar o evangelho ou até mesmo para ouvir Deus.

Um dos meus amigos mais próximos roubou mais de 2 milhões de dólares do nosso ministério, praticamente destruindo em questão de meses o que tinha me custado 12 anos para construir. Não tenho palavras para descrever a profundidade da depressão. Na verdade, tenho sim. Por mais de quatro anos permaneci em depressão profunda, e até cogitei cometer suicídio.

Durante aqueles dias, ouvi o Senhor falando comigo. Ele não falou imediatamente, tampouco o ouvi em intervalos curtos. Mas, de forma muito clara, ouvi a voz inconfundível do Senhor em várias ocasiões. É incrível como a nossa audição se torna mais aberta e sensível quando estamos no chão. Evidentemente, essa posição torna os receptores auditivos mais sensíveis.

Em uma dessas ocasiões, quando estava quieto perante o Senhor, eu o ouvi falando comigo:

— Larry, você já não chorava mais. Você já não se comovia mais com os enfermos e sofridos. Você tinha se transformado num profissional. Eu não conseguia mais falar através de você porque você tinha se tornado insensível para as necessidades das pessoas. Você lhes dava palavras espiritualmente apropriadas, mas você não doía, não chorava, não tocava nem tratava suas feridas, você não tomava sobre si as suas tristezas.

Apesar de ele não usar essas palavras, eu me senti como o levita que viu o homem sangrento na estrada para Jericó e passou para o outro lado da estrada.

Percebi que Deus precisou me quebrar. Eu estava tão preocupado com o crescimento da igreja que meu coração se endureceu e se transformou em pedra. Eu estava tão preocupado com o rápido crescimento de nossos números e com as exigências administrativas que me distraí. Esqueci de seguir os meus instintos naturais como pastor e perdi a conexão com aqueles que sofrem e com os desafios enfrentados pelas ovelhas. Eu era como um frasco fechado de alabastro. O perfume mais cheiroso e caro estava preso dentro de mim. Mas na época meu coração estava endurecendo e o perfume não podia sair e ser usado para lavar os pés dos que sofrem.

Lidere com compaixão | **277**

Eu tinha perdido meu coração como filho do homem. Sem perceber, eu tinha me tornado um filho de Deus — religioso, mas falso.

Vários meses depois, Devi e eu fomos convidados para uma conferência de pastores na Califórnia. Durante uma das sessões em que apenas os líderes da conferência estavam presentes, um amigo meu e profeta de Deus, Campbell McAlpine, compartilhou com os líderes o que eu estava enfrentando. Um dos palestrantes convidados, Jack Hayford, veio até meu lugar e, sem dizer uma palavra, se ajoelhou e começou a chorar sobre meus pés. Com sua cabeça enterrada entre meus pés, ele soluçou. Eu solucei. Todos naquela sala soluçaram. Todos ali eram homens santos, *filhos de Deus*, por assim dizer, mas naquele momento todos se pareciam com Jesus, *filhos do homem*.

Muitos anos atrás, Jerry Cook, pastor amigo meu de Gresham, Oregon, foi abordado por um homem em sua congregação após o culto dominical.

— Pastor, eu soube que você teve uma cirurgia cardíaca. Você se importa se eu tocar as cicatrizes em seu peito?

Jerry achou o pedido um tanto estranho. Mas timidamente desabotoou sua camisa. O homem disse:

— Pastor, meu coração será operado amanhã. Pensei que talvez me ajudaria se eu pudesse tocar suas cicatrizes.

O homem começou a seguir as cicatrizes com o dedo.

Foi o que Jesus fez por Tomé na Sala Superior.

— Tomé, você pode tocar minhas cicatrizes. Você pode colocar seu dedo nas marcas deixadas pelos pregos, você pode colocar sua mão na cicatriz onde a lança perfurou meu lado. Você pode me tocar.

De que forma Tomé saberia como se relacionar com as pessoas se seu mestre se recusasse a ser tocado? Oro a Deus para que nunca nos tornemos profissionais ao ponto de não permitir que as pessoas toquem nossas cicatrizes. E nós devemos sempre tocar as suas.

Oro para que nunca tenhamos tanto sucesso a ponto de não chorarmos quando as pessoas estiverem sofrendo. Oro para que sempre sejamos "filhos do homem". Já fomos feitos filhos de Deus pela morte e ressurreição de Jesus. Não precisamos trabalhar nisso. É um dom. Mas a compaixão não é. Ela precisa ser praticada diariamente. Líderes verdadeiros saem da multidão, dão um passo à frente e choram pelos necessitados. Eles avançam imitando os atos de compaixão de Jesus. O resultado disso é que o coração de Jesus se torna visível para todos. Ele está entre nós mais uma vez.

Líderes verdadeiros lideram de modo diferente. Eles sabem chorar.

CAPÍTULO 15

# Lidere
# com fidelidade

*Sua fidelidade o torna
confiável para Deus.*
**Edwin Louis Cole**

Você já ouviu falar de Rosie Ruiz? Não? Bem, não estou surpreso.

Em 21 de abril de 1980, Rosie venceu a maratona de Boston na categoria feminina com um tempo de 2:31:56, recorde para uma mulher. Foi também o terceiro tempo mais rápido já registrado para qualquer mulher numa maratona.

Seu tempo foi incrivelmente rápido. Se meu cálculo estiver correto, isso significa correr 42,2 km com uma média de menos de seis minutos por milha.

Enquanto a tinta ainda secava nas páginas dos jornais, tornou-se evidente que realmente *era* inacreditável. Logo após o fim da corrida, começaram a surgir perguntas e suspeitas. Por que Rosie não estava suando? Por que ela não parecia cansada? E por que Rosie não tinha a aparência de uma corredora de maratonas com aquelas clássicas coxas musculosas? E por que o pulso em descanso de Rosie permanecia em 76 batidas por minuto enquanto o pulso em descanso de uma corredora costumava ser de mais ou menos 50 batidas?

Por que nenhum dos corredores mais rápidos tinha visto Rosie na pista? E quanto àquela maratona de Nova York,

Lidere com fidelidade | **283**

realizada seis meses antes? Um repórter acompanhou Rosie no metrô do início da maratona até meia milha antes da linha de chegada. Lá, Rosie entrou na pista alegando que tinha se machucado, mas que agora continuaria.

Coitada da Rosie. Os investigadores descobriram que ela não tinha corrido. Ela apareceu na multidão e invadiu a Commonwealth Avenue de Boston para se tornar a corredora mais rápida de todos os tempos, apenas para perder seu título. Coitada da Rosie. Evidentemente, ninguém lhe disse que aqueles que recebem a recompensa são aqueles que começam e terminam a corrida.

## Servimos a um Deus fiel

Aqui está uma verdade maravilhosamente simples e poderosa — o povo do Reino é reconhecido e recompensado não por seu talento, mas por sua fidelidade.

Sim, a Bíblia está cheia de pessoas que terminaram a corrida e ganharam a coroa por causa da sua fidelidade. Mas as Escrituras documentam também as histórias lamentáveis daquelas vidas que terminaram sem a conquista da coroa por causa da falta de persistência fiel. Demas foi uma dessas pessoas. "Demas, amando este mundo, abandonou-me e foi para Tessalônica" (2Timóteo 4:10). Fidelidade é uma questão de caráter, e Deus recompensa caráter, não talento.

- Moisés foi promovido a líder de Israel por causa da sua fidelidade (Números 12:7).
- Davi se tornou rei porque foi considerado fiel como pastor (1Samuel 22:14).

- Daniel alcançou proeminência nacional porque provou ser fiel como escravo e prisioneiro de guerra (Daniel 6:4).
- Paulo foi nomeado apóstolo aos gentios porque foi julgado fiel por seu Senhor, Cristo Jesus (1Timóteo 1:12).
- Cristãos que provam sua fidelidade recebem a promessa da coroa da vida (Apocalipse 2:10).

Acima de tudo, Jesus foi exaltado à direita do Pai por causa da sua fidelidade:

"Jesus Cristo, que é a testemunha fiel, o primogênito dentre os mortos e o soberano dos reis da terra." (Apocalipse 1:5)

"Cristo é fiel como Filho sobre a casa de Deus." (Hebreus 3:5)

"Ao anjo da igreja em Laodiceia escreva: Estas são as palavras do Amém, a testemunha fiel e verdadeira." (Apocalipse 3:14)

Apesar de não usar a palavra "fiel", o texto é claro: "Jesus Cristo é o mesmo ontem, hoje e para sempre" (Hebreus 13:8).

A promoção mais poderosa do mundo virá com o retorno de Cristo: "Vi o céu aberto e diante de mim um cavalo branco, cujo cavaleiro se chama Fiel e Verdadeiro. Ele julga e guerreia com justiça" (Apocalipse 19:11). Fidelidade, nesse versículo, já não é mais uma descrição de grandeza, mas um título de majestade.

Fidelidade tem suas recompensas. Na verdade, é a *única* coisa que Deus recompensa.

Eu me pergunto de quem Jesus herdou seu traço "fiel". Tal Pai, tal Filho.

Fidelidade é a essência de quem Deus é. Paulo diz desta maneira: "Se somos infiéis, ele permanece fiel, pois não pode negar-se a si mesmo" (2Timóteo 2:13). Deuteronômio 7:9 diz: "O Senhor, o seu Deus, é Deus; ele é o Deus fiel". Isaías 49:7 diz: "Por causa do Senhor, que é fiel". 1Coríntios 10:13 diz: "Deus é fiel; ele não permitirá que vocês sejam tentados além do que podem suportar".

Dois dos meus versículos favoritos estão em Lamentações 3:22,23, em que o profeta Jeremias declara: "Graças ao grande amor do Senhor é que não somos consumidos, pois as suas misericórdias são inesgotáveis. Renovam-se cada manhã; grande é a sua fidelidade!". Alguns estudiosos dizem que Jeremias redigiu essas palavras enquanto estava mantido preso numa cova no Egito. Jeremias estava tão certo da fidelidade de Deus que proclamou isso enquanto estava em correntes. Existe testemunho maior da fidelidade de Deus do que a fé de Jeremias?

O único trecho no Antigo Testamento em que a palavra "fé" ocorre é Habacuque 2:4, quando *emuna* é erroneamente traduzido como "fé". *Emuna* deveria ser traduzido como "fiel". Significa firmeza, confiabilidade, persistência, honestidade, veracidade e consciência. Significa cumprir a sua palavra. Não consigo pensar numa descrição melhor para Deus do que "fiel". Ele cumpre a sua palavra. Mateus 24:35 diz: "O céu e a terra passarão, mas as minhas palavras jamais passarão".

Anos atrás, costumávamos ouvir uma expressão espiritual que era repetida com frequência e que soava bastante arrogante no início, até você refletir sobre ela: "Se Deus disse, eu acredito, e isso encerra o assunto". Uma versão melhor e mais simples seria: "Se Deus disse, isso encerra o assunto, não importa em que eu acredite". (Essas pequenas nuanças são tão importantes... ).

Você pode contar com isso. Deus cumprirá sua palavra.

## A medida de seu caráter

Certa vez, pedi às pessoas que definissem "caráter". Como você pode imaginar, recebi muitas respostas diferentes. A que mais gostei veio de um comerciante cristão bem-sucedido em Los Angeles, que disse: "Caráter é cumprir sua palavra". Ao refletir sobre essa definição, decidi escolhê-la acima de todas as outras. No fundo, caráter é cumprir sua palavra. Se não consegue cumprir sua palavra, você simples e claramente não tem um caráter santo.

Vou passar para o meu modo pastor e professor para explicar isso a você. Você demonstra seu caráter por aquilo que faz. Isso é absolutamente importante e merece ser repetido. Seu caráter se revela em suas ações e em como você se importa com os menores detalhes.

Você faz o que disse que faria.

Você aparece quando disse que apareceria.

Quando faz promessas, você as cumpre.

Quando diz à sua esposa e filhos que estará em casa em determinado horário, você aparece naquela hora — ou antes.

Lidere com fidelidade | **287**

(Na verdade, não existe maneira melhor de treinar seus filhos para uma vida de caráter santo.)

Quando promete à família que a levará a uma viagem nas férias, você a leva.

Quando empresta uma ferramenta e promete devolvê-la em determinado dia, você cumpre sua palavra.

Quando você define um prazo, você o cumpre.

Se surgir uma emergência real e você for incapaz de cumprir uma obrigação, deve contatar a pessoa o mais rápido possível e informá-la sobre o atraso ou cancelamento. Se tiver muitas emergências e não conseguir manter sua palavra, bem, isso parece ser um problema de caráter.

Algum tempo atrás, Devi e Felipe Hasegawa, nosso antigo assistente, estavam esperando por mim num restaurante na região de Dallas para almoçar. Felipe decidiu me ligar. Enquanto estava discando o número do meu celular, ele perguntou à Devi: "O que as pessoas faziam antes da invenção do celular?". Uma senhora idosa sentada perto deles respondeu antes que Devi pudesse abrir a boca: "Nós mantínhamos a nossa palavra". Aí está. Antes dos dias dos celulares, você mantinha sua palavra.

Aqui está outra coisa extremamente importante — e prática — sobre o caráter. *Se* você promete algo e, mais tarde, descobre que é inconveniente cumprir a promessa, você cumpre sua palavra mesmo assim. Isso é caráter. Apesar de ser apenas um aspecto de fidelidade, é um aspecto importante. Se quebrar essa regra de caráter simples e fundamental, você falhou em grande escala, e o teto desaba.

Fidelidade se refere a tudo na vida.

Você prometeu permanecer fiel à sua esposa. Você cumpre sua palavra.

Você dedicou sua vida ao senhorio de Jesus Cristo. Você cumpre essa promessa.

Você se comprometeu a ministrar uma aula, a treinar um time, a gerenciar um projeto ou a oferecer seu tempo, você cumpre seu compromisso. Seu caráter depende disso, e o favor de Deus exige isso. Se não for fiel nas coisas pequenas, Deus não lhe confiará as coisas grandes.

Se você aceitou muitos compromissos e não consegue dar conta, aconselho que honre as promessas que já fez. Depois, repense quantos projetos você consegue completar com o tempo que tem.

Não arranje desculpas. Você é uma pessoa de palavra porque Deus, seu Pai, cumpre a sua palavra.

## Outros aspectos de fidelidade

Aqui estão os pontos-chave da fidelidade:

- **Estabilidade**. Você é consistente. Não está bem num dia e mal no outro. Você não muda de opinião o tempo todo. Você é equilibrado, previsível e estável.
- **Confiabilidade**. As pessoas podem contar com você. Você sabe o que quer e cumpre seus compromissos com responsabilidade. Você age com diligência e integridade.
- **Lealdade**. Nunca conheci uma pessoa desleal que também não fosse infiel em muitos aspectos de sua vida.

Lidere com fidelidade | **289**

## Quando o mestre não está em casa

Vários anos atrás, Devi e eu tiramos umas férias. Deixamos a casa com dois alunos de faculdade que estavam morando conosco na época. As férias terminaram e, quando voltamos, a porta da frente estava aberta. Olhando pelo para-brisa do carro, pensei: "Isso não é nada bom".

Tinha nevado recentemente, e a neve estava sendo soprada pelo vento para dentro da casa. Apressei o passo, passei pela porta e fiquei surpreso ao ver três cachorros da vizinhança dormindo confortavelmente nos nossos sofás de veludo. Eu os expulsei da casa, revoltado com seus olhares ofendidos. Obviamente, eles me consideravam um ser humano de coração frio por mandá-los para o frio do inverno.

Descobrimos que, enquanto estávamos viajando, os dois alunos deram uma festa para todos os seus parentes. Agora, para ser honesto, a festa não foi ruim, mas foi uma festa. Eles tinham usado nossa melhor louça para preparar uma refeição digna de um rei. O único problema era que eles nunca perguntaram ao rei da casa se podiam fazê-lo.

É a isso que Jesus alude em várias de suas parábolas. O mestre da casa parte em uma viagem e lhe entrega a responsabilidade pela casa. É nisso que você deve se concentrar com toda a sua mente e todo o seu coração. A forma como você mantém, cuida e supervisiona os servos e a casa determinará sua recompensa quando ele voltar.

Em Hebreus 3, a Bíblia diz que Moisés foi fiel em toda a casa de Deus, assim como Jesus também foi. É uma questão de administração, e a casa, pertença ela a quem for, realmente pertence a Deus.

**290** | Liderando como Jesus

Um amigo meu foi encarregado de cuidar de um aquário de água salgada localizado na casa de amigos mútuos. Esse lindo aquário na sala abrigava criaturas do mar, lindos peixes, crustáceos e corais no valor de milhares de dólares. Bem, você já sabe o que aconteceu. O casal voltou. Foram conferir o aquário. Nenhuma nadadeira se mexia. A maioria dos peixes estava flutuando de barriga para cima. O aquário tinha se transformado num cemitério de animais. Cada um dos peixes estava morto. Um diagnóstico *post-mortem* da situação revelou que um peixe tinha morrido e não tinha sido removido. O administrador não tinha administrado a situação. Sem ser especialista, eu suponho que um peixe morto precisa ser removido para que os outros não morram. Milhares de dólares foram literalmente água abaixo por falta de uma administração cuidadosa.

Espero que existam mais histórias sobre administração boa e responsável do que sobre administração errada. Administração fiel é realmente uma questão do coração.

> Vivemos na casa de Deus. Como hóspedes em sua casa, somos administradores diariamente.

## Você é um administrador fiel?

Para mim, um dos maiores pecados contra a criação de Deus é como nós a enchemos de lixo. Eu não suporto jogar um papel de bala ou uma lata de refrigerante no chão. Em Romanos 8:21, Paulo diz que o universo inteiro está gemendo, esperando ser liberto dos pecados sob os quais o colocamos. Se a criação é também a nossa responsabilidade, temos a obrigação de manter sua ordem cristalina de cada forma possível. Isso não é apenas uma ideia ecológica sensata, é a ideia de Deus.

Se permitirmos que nosso carro se pareça uma lata de lixo, se não mantivermos a nossa casa e nosso jardim em ordem e espalharmos os nossos pertences por toda parte, estabelecemos um padrão de administração ruim em cada área da nossa vida. Passamos também um exemplo terrível para os nossos filhos.

Jesus disse:

> Quem é fiel no pouco, também é fiel no muito, e quem é desonesto no pouco, também é desonesto no muito. Assim, se vocês não forem dignos de confiança em lidar com as riquezas deste mundo ímpio, quem lhes confiará as verdadeiras riquezas? E se vocês não forem dignos de confiança em relação ao que é dos outros, quem lhes dará o que é de vocês? (Lucas 16:10-12)

É interessante que, para Jesus, administração desleixada significa infidelidade.

Recentemente, fui para um Sam's Club na nossa região. Enquanto empurrava o carrinho de compras pelos corredores, ouvi um dos gerentes conversando com um funcionário. Ele estava apontando para uma embalagem de uvas vazia no departamento de frutas. O gerente disse: "As pessoas costumam pegar uma embalagem de uvas, comê-las enquanto fazem as compras e devolver a embalagem vazia".

Posso garantir que essas pessoas são ladras também fora do supermercado. Uvas não é a única coisa que roubam. Você pode apostar que são maus administradores também em outras áreas de sua vida. Minha maior preocupação é o que essas pessoas estão ensinando aos seus filhos. Consigo ouvi-los dizendo ao juiz: "Eu os criei bem, não sei o que deu errado". É um grande mistério, não é?

Ao fazer uma palestra na Christ For the Nations, em Dallas, um dos meus institutos de treinamento bíblico favoritos, minha esposa Devi disse aos alunos:

— O que o leva a pensar que, se você não consegue manter seu quarto limpo, arrumar sua cama e catar o lixo, Deus lhe confiará um ministério? Como você pode pregar a milhares de pessoas se você não consegue nem retirar o lixo do seu carro? Como você pode alcançar o mundo se você nem consegue limpar seu próprio banheiro ou lavar a louça na sua pia?

Enquanto passeava pelo campus naquele dia, percebi que os alunos estavam levando a admoestação de Devi a sério. As lixeiras estavam cheias de embalagens de hambúrgueres e de outros tipos de lixo. Eu espero que a lição tenha sido gravada em suas mentes e que os alunos mantenham bons hábitos de administração. Afinal de contas, Jesus está voltando, e nós teremos de prestar contas daquilo que ele nos deu.

O almirante William McRaven, do Navy Seals, disse a um grupo de formandos na Universidade do Texas que eles deviam "fazer suas camas todos os dias". O almirante, como também Devi, estava falando da importância da fidelidade nas coisas pequenas das quais fomos encarregados.

McRaven disse aos alunos: "Se você não consegue fazer bem as coisas pequenas, nunca conseguirá acertar nas coisas grandes".

## Fidelidade e promoção andam de mãos dadas

No Reino de Deus, fidelidade e promoção andam de mãos dadas. Fidelidade sempre é recompensada.

Na parábola dos talentos de prata (Mateus 25), um servo recebe cinco talentos de prata. A ESV Study Bible diz que um talento de prata valia vinte anos de salários para um trabalhador mediano nos dias de Jesus. Segundo os padrões de hoje, um talento de prata valeria mais ou menos 10.760 dólares. Isso significa que o homem que recebeu um talento recebeu uma quantia generosa de dinheiro, equivalente ao salário de vinte anos, e o homem que recebeu cinco talentos recebeu incríveis 53.800 dólares de seu mestre.

Veja bem: Deus nos confiou muito, independentemente de quem somos, e precisamos garantir um lucro máximo sobre o investimento de Deus. Isso inclui nossas habilidades, nossos lares, casamentos, famílias, profissões, ministérios e ambiente. Quando Deus nos confiou a sua casa, nos emprestou mais do que uma cabana decaída. Ele nos deu muitos talentos, recursos, motivações e habilidades. Mas só podemos crescer e multiplicar seu investimento se formos fiéis.

Provérbios 20:6 diz: "Muitos se dizem amigos leais, mas um homem fiel, quem poderá achar?". É uma boa pergunta, não é? Quem poderá achar um homem fiel? Conheço muitos homens talentosos que não são fiéis. Também conheço muitos homens vistosos, atléticos ou inteligentes, mas que não são consistentes. Não se pode contar com eles. Mas quem poderá achar um homem fiel?

Se você encontrar um homem fiel, encontrará também um homem honesto, alguém a quem você pode confiar sua propriedade. No entanto, antes de contratá-lo, verifique a aparência de sua casa e propriedade. Se ele não cuidar de suas próprias coisas, é melhor não confiar as suas a ele.

Também conheço muitas pessoas que desejam autoridade. Tenho uma regra fixa: se um homem ou uma mulher deseja autoridade, não dê antes de provarem ser fiéis.

Quando Paulo estava pronto para passar seus ensinamentos para seu jovem discípulo Timóteo, ele o qualificou, dizendo: "E as coisas que me ouviu dizer na presença de muitas testemunhas, confie a homens fiéis que sejam também capazes de ensinar a outros" (2Timóteo 2:1,2).

## Muito bem, servo bom e fiel

Se você nunca ouviu falar de William Borden, não está sozinho. Poucos ouviram falar dele. Num artigo recente na revista *Christianity Today*, Borden é chamado de o maior missionário que nunca foi para o campo missionário.

William nasceu em 1887, como filho de uma família privilegiada da Nova Inglaterra. Seu pai se tornou rico nas minas de prata do Colorado. Aos sete anos de idade, William, vestindo seu melhor terno, decidiu seguir o homem da Galileia numa igreja que hoje é chamada de Moody Church, em Chicago.

Apesar de se graduar nas universidades de Yale e Princeton, William nunca vacilou em sua paixão de pregar o evangelho aos muçulmanos da China. Esse filho rico ofereceu estudos bíblicos a mil dos 1.300 alunos da Yale. Ele também fundou a primeira missão de resgate em New Haven, em Connecticut, onde ministrou a mais de 14 mil homens degradados. Segundo Jason Casper, autor do artigo, as viagens de Borden o levaram para mais de trinta faculdades na tentativa de angariar apoio para as missões globais.

Seu sonho de estudar árabe, em preparação para um ministério aos muçulmanos na província chinesa Gansu, finalmente se realizou. Em 1913, ele embarcou para a cidade de Cairo, no Egito, iniciando imediatamente uma campanha para distribuir exemplares das Escrituras para todos os 800 mil habitantes da cidade. Três meses depois, aos 25 anos de idade, William caiu vítima de uma meningite. Apesar de nunca alcançar fisicamente o campo da missão, Deus o considerou pronto. Apesar de Abraão nunca enfiar o punhal no coração de seu filho, segundo Hebreus 11:19, na visão de Deus a missão já tinha sido realizada. Deus o considerou fiel. Deus considerou que estava consumado.

O lema de William Borden era: "Sem reservas, sem recuos, sem arrependimentos".

Falando em fidelidade: ele só tinha 25 anos de idade, mas foi totalmente fiel ao chamado de Deus.

Não sei por que histórias como essa me comovem tanto. Choro só por repeti-las. Eu me comovo profundamente quando ouço histórias de pessoas que deram tudo para seguir Jesus.

Abandonei o ministério duas vezes. Lembro que, em 1983, eu estava sentado em nosso apartamento em Sarasota, na Flórida, e disse a Devi:

— Desisto. Não consigo dar conta do ministério. Não fui feito para isso.

Para ressaltar minhas palavras, joguei a Bíblia na mesa de centro. Tenho certeza de que Deus ficou impressionado.

Lembro também que era uma terça-feira. A razão pela qual me lembro vividamente do dia é que recebi uma ligação na quarta-feira de uma senhora húngara da igreja que tínhamos pastoreado no passado no estado de Washington. Em seu inglês de sotaque pesado, ela disse:

— Larry, veja, o Senhor me diz algo. Ele me diz que você abandonou o ministério. Ele me disse que você não pode abandonar o ministério, porque ele não abandonou você.

Aí está. Não posso nem desistir sem que o Espírito Santo me dedure.

Na segunda vez, eu estava participando de um evento dos Promise Keepers para homens no início da década de 1990, em Washington, D.C. Em algum momento ao longo do evento, decidi que não aguentava mais. Que abandonaria o ministério. Eu estava desanimado, deprimido. Eu não queria mais.

No final do evento, eles convidaram todos os pastores para o palco. "Ah, legal", pensei. "É exatamente o que eu não quero fazer: ir até lá e ser reconhecido por algo que não farei mais". Esperei até o último momento. Quase todos os pastores tinham se reunido no palco. Enquanto ia até o final da fila, um homem de descendência africana disse:

— Não largue sua espada, pastor, não largue sua espada.

Eu sabia que ele era um agente do Espírito Santo. Naquele momento, eu me agarrei à espada e nunca mais a soltei.

Anos atrás, meu bom amigo Roy Hicks Jr., pastor do Faith Center em Eugene, no Oregon, me contou uma história de como Deus falou com ele sobre sua fidelidade. Apesar de Roy ter morrido muitos anos atrás, ainda ouço sua voz como se fosse ontem.

Ele tinha acabado de pregar no último de vários cultos matinais — todos considerados por ele como fracassos miseráveis.

Quando se aproximou do seu carro, começou a pedir perdão ao Senhor:

— Eu sinto muito. Fiz um trabalho horrível hoje. Minha pregação foi terrível.

Ao descrever seu senso de fracasso ao Senhor, ele o ouviu dizer:

— Roy, eu não estava ouvindo sua pregação, eu estava observando sua fidelidade.

Queridos homens e mulheres de Deus, Deus se interessa mais por sua fidelidade do que por seus sermões.

Deus procura fidelidade. Fidelidade é o fundamento do caráter e a essência da natureza de Deus.

Quando eu me apresentar a Jesus no dia do juízo, sei que ele não me perguntará sobre o tamanho da minha congregação, sobre as coisas grandes que realizei ou sobre a quantia de dinheiro que acumulei ou doei. Ele estará interessado numa única coisa: "Como foi a sua fidelidade?". Se eu ouvir as palavras "Muito bem, servo bom e fiel", tudo terá valido a pena.

# Epílogo

Duzentas páginas após começar a escrever este livro sobre os princípios de liderança de Jesus, o maior líder do mundo, estou agora escrevendo minha conclusão. A verdade é que ainda não terminei. Tenho mais uma coisa a dizer. Por favor, leia também estas últimas palavras restantes.

Tenho certeza de que, se Jesus chamou você — e não tenho dúvida de que ele fez isso —, então ele também quer que você seja frutífero. João 15:16 deixa bastante claro que Jesus designou você para a fertilidade, não para a esterilidade. "Vocês não me escolheram, mas eu os escolhi para irem e darem fruto, fruto que permaneça, a fim de que o Pai lhes conceda o que pedirem em meu nome".

Ele chamou você para reproduzir e para que seu fruto seja sustentável. Jesus o fez para que fosse bem-sucedido. Essa é a sua vontade.

Filipenses 1:6 reitera o ponto acima e o desdobra: "Estou convencido de que aquele que começou a boa obra em vocês vai completá-la até o dia de Cristo Jesus".

Se você precisa de provas adicionais, Jesus prometeu aos discípulos, em João 4:12-14, que eles fariam também as obras que ele fez, mas de forma multiplicada.

Todos esses versículos revelam a intenção de Deus para você: SUCESSO! Você foi criado para o sucesso. O manufator, o próprio Deus, decidiu torná-lo espetacularmente eficaz e produtivo, que é a definição verdadeira de sucesso santo. Você é incrível, talentoso e poderosamente ungido. Está em seu DNA.

A pergunta não é "se" você terá sucesso, mas "quando". E quando falo em sucesso não me refiro à definição egoísta e em curto prazo de sucesso, mas de um sucesso verdadeiro — Deus cumprindo seu chamado em sua vida.

Minha preocupação *não* é que você não alcance o sucesso que Deus planejou para você, mas que você alcance de modo poderoso o objetivo de Deus, mas não dê todo o mérito a Deus.

Minha pergunta é: O que você fará quando Deus transformar seus fracassos em sucessos e sua esterilidade em fertilidade e reprodução? O que acontecerá quando as pessoas começarem a aplaudi-lo, a voltarem os holofotes para você ou a escreverem seu nome em negrito nas manchetes?

Choro ao escrever estas palavras não por sentimentalismo ao encerrar este livro, mas pela solenidade de sua verdade.

Peço que me acompanhe enquanto descrevo uma cena que ocorrerá em breve no céu:

> Então vi na mão direita daquele que está assentado no trono um livro em forma de rolo escrito de ambos os lados e selado com sete selos.
>
> Vi um anjo poderoso, proclamando em alta voz: Quem é digno de romper os selos e de abrir o livro?
>
> Mas não havia ninguém, nem no céu, nem na terra, nem debaixo da terra, que podia abrir o livro, ou sequer olhar para ele. Eu chorava muito, porque não se encontrou ninguém que fosse digno de abrir o livro e de olhar para ele.
>
> Então um dos anciãos me disse: Não chore! Eis que o Leão da tribo de Judá, a Raiz de Davi, venceu para abrir o livro e os seus sete selos.
>
> Então vi um Cordeiro, que parecia ter estado morto, de pé, no centro do trono, cercado pelos quatro seres viventes e pelos anciãos. Ele tinha sete chifres e sete olhos, que são os sete espíritos de Deus enviados a toda a terra. Ele se aproximou e recebeu o livro da mão direita daquele que estava assentado no trono.
>
> Ao recebê-lo, os quatro seres viventes e os 24 anciãos prostraram-se diante do Cordeiro. Cada um deles tinha uma harpa e taças de ouro cheias de incenso, que são as orações dos santos; e eles cantavam um cântico novo:
>
>> Tu és digno de receber o livro e de abrir os seus selos, pois foste morto, e com teu sangue compraste para Deus homens de toda tribo, língua, povo e nação. Tu os constituíste reino e sacerdotes para o nosso Deus, e eles reinarão sobre a terra.
>
> Então olhei e ouvi a voz de muitos anjos, milhares de milhares e milhões de milhões. Eles rodeavam o trono, bem como os seres viventes e os anciãos, e cantavam em alta voz:

Digno é o Cordeiro que foi morto
de receber poder, riqueza, sabedoria, força,
honra, glória e louvor.

Depois ouvi todas as criaturas existentes no céu, na terra,
debaixo da terra e no mar, e tudo o que neles há, que diziam:

Àquele que está assentado no trono e ao Cordeiro
sejam o louvor, a honra, a glória e o poder, para todo
o sempre!

Os quatro seres viventes disseram "Amém", e os anciãos
prostraram-se e o adoraram. (Apocalipse 5:1-14)

Sugiro que você releia este capítulo em Apocalipse 5 até chegar ao ponto em que existe apenas um no céu, na terra ou debaixo da terra que foi considerado digno aos olhos de Deus para receber poder, riqueza, sabedoria, honra, glória, bênção e força: Jesus Cristo, o Cordeiro abatido de Deus.

Perceba como é essencial que você entenda que existe apenas um em todo o universo que é digno de todo o nosso louvor.

Não pense que alguma coisa feita por você ou que vá fazer se deva ao seu próprio talento ou habilidade. Foi Jesus quem fez tudo.

Não se gabe do tamanho das igrejas que liderou, das escolas ou instituições que construiu, dos projetos humanitários que gerenciou ou das pessoas que alimentou ou vestiu — tudo isso foi Jesus realizando suas obras através de você.

Não reivindique mérito por qualquer livro que tenha escrito ou hinos que tenha composto. Foi Jesus e apenas Jesus.

Não se deixe enganar pelos aplausos das pessoas que você tocou. Elas estão aplaudindo Jesus.

Não pense por um minuto que as pessoas foram atraídas por você. Elas foram atraídas por Jesus em você.

Não se entregue a quaisquer pensamentos de que suas conquistas resultaram de engenhosidade, talento excepcional, ousadia ou carisma pessoal. Foi tudo Jesus.

Não reivindique nenhum dos convertidos como seus, eles pertencem a Jesus. Você foi apenas um administrador de seus dons.

No fim do dia — e, mais importante ainda, no fim de sua vida — tudo é Jesus. Jamais se esqueça disso. Você não pode se dar ao luxo de pensar nem por um minuto que merece a glória.

Lembre-se: não foi o leão que ruge que recebeu o louvor do céu e da terra, foi o cordeiro humilde. Um cordeiro marcado para o abate.

Toda manhã, sem exceção, entro no chuveiro e começo a louvar a Deus. "Jesus, tu és digno. Eu te dou todo o louvor. Eu te dou toda a glória. Eu te dou toda a honra".

Não que eu não o louve ao longo do dia — eu faço isso. Mas não existe começo melhor para o dia do que o louvor. Ele põe tudo em perspectiva. Não quero esperar até chegar à cidade celestial para começar o meu louvor.

Um dos benefícios de louvar Jesus diariamente é que isso diminui a probabilidade de você reclamar o louvor para si mesmo.

Existe apenas uma única pessoa em todo o universo que é digna de todo o louvor — e ela é Jesus. Sempre que disser as palavras "Jesus, tu és digno de toda a glória", você se junta ao coro celestial de anjos, anciãos e exércitos de cristãos proclamando que Jesus é o único digno.

Lidere de maneira diferente. Lidere com humildade. Lidere com gratidão. Lidere com base em sua indignidade, e você não terá como falhar.

Este livro foi impresso em 2022,
pela Vozes, para a Thomas Nelson Brasil. O
papel do miolo é pólen natural 80g/m²,
e o da capa, cartão 250g/m².